O COMPLEXO DE BODE EXPIATÓRIO

Biblioteca Cultrix
de Psicologia Junguiana

Sylvia Brinton Perera

O COMPLEXO DE BODE EXPIATÓRIO

Um Estudo Sobre a Mitologia da Sombra e da Culpa

Tradução
Júlio Fischer

Editora
Cultrix
SÃO PAULO

Título do original: *The Scapegoat Complex – Toward a Mythology of Shadow and Guilt.*

2ª edição 2022.

Obs.: Publicado anteriormente com o subtítulo: *Rumo a uma Mitologia da Sombra e da Culpa.*

Editor: Adilson Silva Ramachandra
Gerente editorial: Roseli de S. Ferraz
Gerente de produção editorial: Indiara Faria Kayo
Editoração eletrônica: Join Bureau
Revisão: Vivian Miwa Matsushita

Dados Internacionais de Catalogação na Publicação (CIP)
(Câmara Brasileira do Livro, SP, Brasil)

Perera, Sylvia Brinton
O complexo do bode expiatório: um estudo sobre a mitologia da sombra e da culpa / Sylvia Brinton Perera; tradução Júlio Fischer. – 2. ed. – São Paulo: Editora Cultrix, 2022. – (Biblioteca Cultrix de psicologia junguiana)

Título original: The scapegoat complex: toward a mythology of shadow and guilt
ISBN 978-65-5736-140-5

1. Bode expiatório – Aspectos psicológicos 2. Bode expiatório – Aspectos psicológicos – Estudo de casos 3. Psicologia junguiana I. Título. II. Série.

21-96064 CDD-150.1954

Índices para catálogo sistemático:
1. Psicologia junguiana 150.1954
Cibele Maria Dias – Bibliotecária – CRB-8/9427

Direitos de tradução para a língua portuguesa adquiridos com exclusividade pela EDITORA PENSAMENTO-CULTRIX LTDA., que se reserva a propriedade literária desta tradução.
Rua Dr. Mário Vicente, 368 — 04270-000 — São Paulo, SP — Fone: (11) 2066-9000
http://www.editoracultrix.com.br
E-mail: atendimento@editoracultrix.com.br
Foi feito o depósito legal.

Se fosse assim tão simples! Se o problema se resumisse à existência de pessoas ruins cometendo atos malignos, insidiosamente, em alguma parte, bastando apenas afastá-las de nós e destruí-las! Entretanto, a linha divisória entre o bem e o mal perpassa o coração de cada ser humano. E quem estará disposto a destruir uma parte do seu próprio coração?

Aleksandr Soljenítsyn, *Arquipélago Gulag*

SUMÁRIO

PREFÁCIO

O material abordado neste livro deve muito a algumas pessoas. Diversos amigos contribuíram com seu apoio pessoal. Entre eles, Jerome Bernstein, Edward Edinger, Patricia Finley, Yoram Kaufmann, Katherine North, Barbara Sand, Nathan Schwartz-Salant, Charles Taylor e Gertrude Ujhely. Apesar dos *insights* sobre o material serem de minha autoria, seus estimulantes pontos de vista foram de grande ajuda.

Sou particularmente grata a E. Christopher Whitmont pelas muitas conversas em que exploramos o mito do bode expiatório e suas ramificações. A relevância clínica do mito me interessou sobremaneira. Seu importante livro *O Retorno da Deusa* aborda as implicações culturais mais amplas da imagem do bode expiatório, assim como Eric Neumann em *Psicologia Profunda e Nova Ética*.

Os trabalhos de D. W. Winnicott e Harry Guntrip, com suas poderosas descrições clínicas, foram os primeiros a despertar meu interesse na psicologia da personalidade esquizoide, levando-me a considerá-la em termos dos padrões míticos subjacentes.

Quero expressar minha gratidão à falecida Anneliese Aumueller, e a Edward Edinger e Rachel Zahn pelo auxílio terapêutico no sentido de trabalhar meus próprios grilhões em relação ao complexo de bode expiatório.

Sou grata, acima de tudo, aos colegas, amigos, alunos e analisandos que compartilharam suas experiências comigo. Sua experiência, ao lado de minha própria, iluminou o penoso núcleo em torno do qual este livro se desenvolveu.

Embora sem abordar os problemas mais amplos de projeção da sombra, que resultam em guerras e estão na base da perseguição aos "inimigos" portadores da sombra, espero que meu trabalho, baseado em profunda análise individual, possa estimular outros no sentido de abordar as implicações sociais do arquétipo do bode expiatório. Minhas descrições de seus efeitos e sua cura terapêutica são apenas um passo rumo à cura necessária da patologia do bode expiatório, que ameaça a sobrevivência da nossa terra.

INTRODUÇÃO

O termo "bode expiatório" é usado, atualmente, com grande facilidade nas discussões sobre moral coletiva. Já nos habituamos a identificar o fenômeno na psicologia social, havendo diversos estudos do padrão do bode expiatório em pequenos grupos, na família e nas políticas étnicas e nacionais.

O termo é aplicado a indivíduos e grupos apontados como causadores de infortúnio. A acusação serve para aliviar os outros, os acusadores, de suas responsabilidades, bem como para fortalecer-lhes o sentido de poder e integridade. Nessa acepção corrente, a busca do bode expiatório alivia-nos, também, quanto ao nosso relacionamento com a dimensão transpessoal da vida, posto que na época atual chegamos a trabalhar com uma forma pervertida do arquétipo, que ignora os deuses, enquanto acusamos o bode expiatório e o demônio pelos males da vida.

Esquecemo-nos de que o bode expiatório era, originariamente, uma vítima humana, ou animal, escolhida para o sacrifício ao deus do mundo subterrâneo, a fim de aplacar a ira da divindade e purificar a comunidade. O bode expiatório era um *pharmakon*, ou agente de cura. Nos rituais, o bode expiatório era dedicado e identificado com a divindade. Sua função era a de levar a dimensão transpessoal a auxiliar e renovar a comunidade, uma vez que esta reconhecia estar envolta e depender das forças transpessoais. O ritual do bode expiatório, tal como os outros, era promovido "para enriquecer o sentido ou chamar a atenção para outros níveis de existência... [Ele] incorpora[va] o mal e a morte à vida e à benevolência, num modelo único, amplo e unificador".[1]

Ainda cremos, atualmente, na eficácia da ação mágica ritual. Normalmente, porém, estamos inconscientes do "modelo amplo e unificador", a matriz transpessoal que envolve nossas ações. Percebemos apenas a estrutura material e secular das ações, ignorando a dimensão espiritual à qual elas, originalmente, visavam coligar-nos. Assim, segundo um psicólogo moderno:

> [Existe] uma crença ocidental generalizada de que uma catástrofe possa ser evitada por meio da profilaxia adequada, seja ela o batismo ou a amamentação. Gostaríamos de acreditar numa receita... capaz de vacinar-nos... contra o infortúnio e o fracasso futuros.[2]

Esse desejo de evitar catástrofes é mundial e forma a base do ritual religioso e mágico. Na era moderna, entretanto, o ritual do bode expiatório perdeu-se por ter sido banalizado. Seu significado mais profundo é inconsciente. Temos a tendência de sentir que a humanidade e/ou o demônio acarretam o mal sobre o mundo, considerando que Deus seja apenas bondade. Isso, porém, significa que a humanidade também é considerada quase onipotente, capaz de evitar o mal sem recorrer àquelas forças do destino em muito superiores à vontade humana.

O fenômeno do bode expiatório, em sua manifestação usual, consiste em encontrar-se o indivíduo, ou indivíduos, capazes de serem identificados com algum mal ou delito, responsabilizá-los por isso e expulsá-los da comunidade a fim de proporcionar, aos membros remanescentes, um sentimento de inculpabilidade e de reconciliação com os padrões coletivos de comportamento. Ao mesmo tempo que localiza a culpa, ele também "previne contra futuros males e faltas", pela expulsão da suposta causa de infortúnio. Proporciona a ilusão de que podemos ser "perfeitos, como o Pai que está nos céus",[3] se tomarmos as medidas profiláticas adequadas; se agirmos de modo adequado.

Em termos junguianos, o bode expiatório é um recurso de negação da sombra, tanto do homem como de Deus. Aquilo que é percebido como impróprio a conformar-se ao ego ideal ou à perfeita benignidade de Deus, é reprimido e negado, ou desmantelado e tornado inconsciente. É tachado como demoníaco. Não confessamos conscientemente nossos defeitos e impulsos caprichosos sobre a cabeça de um bode, a fim de reconciliar-nos com a dimensão espiritual, como o faziam os antigos hebreus. Nem sempre chegamos sequer a perceber que eles fazem parte da nossa constituição psicológica. Temos, porém, uma aguda percepção de sua pertinência aos outros, os bodes expiatórios. Percebemos, nitidamente, a sombra em projeção. E o acusador sente-se aliviado e mais leve, sem aquele fardo que seria inaceitável ao seu ego ideal; sem a sombra. Os que são identificados com o bode expiatório, em contrapartida, identificam-se com as inaceitáveis qualidades da sombra. Sentem-se inferiores, rejeitados e culpados. Sentem-se responsáveis por algo além de sua parcela individual de sombra. Contudo, tanto o perseguidor como o perseguido sentem-se no controle do amálgama de bondade e maldade que pertence à própria realidade.

A perversão medieval e moderna do arquétipo produziu uma patologia amplamente disseminada. São muitos os bodes expiatórios entre nós; indivíduos identificados com o arquétipo e presos ao padrão distorcido em que ele atualmente opera. Pretendo explorar, nas páginas seguintes, algumas ramificações do arquétipo do bode expiatório na fenomenologia clínica dos indivíduos com ele identificados. A imagem do bode expiatório fornece diretrizes de compreensão capazes de iluminar o reverso de um incômodo sentido por muitos de nós. Assim, segundo as palavras de C. G. Jung, ela permite "[que] a inconsciência... dê à luz a consciência".[4] Acompanhando os estratos do complexo em sua forma patológica atual, e chegando até as estruturas da imagem arquetípica original, encontramos algumas chaves para a cura dos indivíduos atingidos pelo complexo de bode expiatório.

O leitor deverá avançar lentamente, lembrando-se de que, embora nosso material seja, necessariamente, apresentado aqui sob forma linear, seu foco reside na *gestalt* como um todo – a estrutura imediata e completa da imagem arquetípica. Os diversos fatores descritos têm uma existência simultânea no padrão atemporal e denso da própria imagem.

Minha interpretação baseia-se na minha própria vivência do complexo, no material fornecido por amigos e no trabalho clínico realizado com analisandos. O complexo de bode expiatório está presente em toda parte. Até certo ponto, todos nós partilhamos de seus traços mais marcantes, embora estes sejam mais claramente identificáveis em determinados casos. A diferença reside no grau de identificação com o arquétipo e, portanto, no grau de enfraquecimento do ego. A estrutura do complexo permanece a mesma.

Capítulo 1

A EXPIAÇÃO DO MAL E DA CULPA

O sacrifício hebreu do bode expiatório, descrito na Bíblia (Levítico, 16), constituía parte central no ritual do Yom Kippur, o Dia do Perdão. Cerimônias semelhantes de reconciliação e expiação do mal, em outras culturas, foram descritas por James George Frazer e por diversos antropólogos.[5] Todas elas representam um veículo de renovação do contato com o espírito que rege o povo. Representam, também, uma tentativa de expulsar os males que afligem a humanidade, sejam estes a morte, a enfermidade, a violência, o sofrimento físico e psíquico ou o sentimento de culpa e pecado que acompanha a consciência de transgressão ao código moral. Tais aflições sempre ameaçam lançar-nos na escuridão e na desordem que encontramos fora e dentro de nós. No decorrer da história, a humanidade procurou livrar-se dessa escuridão por meio dos ritos de aversão e expurgo, na esperança de evitar seus amedrontadores sofrimentos e culpas.

Nas cerimônias expiatórias, o mal é magicamente transferido para outros indivíduos, animais, plantas ou objetos inanimados. É tratado concretamente, como uma enfermidade transmissível, capaz de ser transferida para um objeto material que, desse modo, torna-se – no nível concreto e literal da consciência mágica[6] – uma poluição concreta, passível de ser eliminada.

O ritual do Yom Kippur guarda, ainda, um claro sentido do aspecto de confissão do pecado e expiação de culpa. A palavra hebraica para expiação, *kipper*, está relacionada com *kippurim*, procedimentos eliminatórios. Existem paralelos etimológicos nos idiomas babilônico e arábico. Um rito babilônico realizado no quinto dia do festival de Ano-Novo, com duração de dez dias, era conhecido como *kuppuru* e envolvia a purgação, a purificação, a confissão de pecados e um sacrifício humano.[7] O sentido original do termo babilônico é "purgar ou expulsar", sugerindo que o sacrifício de sangue remove a mácula dos pecados. Outra derivação, baseada num paralelo arábico, sugere o significado "cobrir", indicando o acobertamento da culpa individual, ocultando-a dos olhos da divindade ofendida por meio da reparação.

Jung definiu a culpa como a emoção experimentada quando sentimos que nos desviamos da condição de totalidade, estando afastados de Deus, ou, em termos psicológicos, do Self, o centro regulador da psique.[8] Quando o Self é projetado sobre uma coletividade ou sobre os pais, a culpa será sentida pelo desvio a seus padrões estabelecidos de comportamento. A culpa, enquanto "perene... componente do indivíduo",[9] manifesta-se com especial agudeza quando nos sentimos inaceitáveis perante nós mesmos, emaranhados em conflitos de dever que nos dividem, forçando--nos a participar de crimes de omissão ou de comissão. Não podemos evitar nem tolerar esses crimes. Podemos, isso sim, ser restituídos a um sentido de totalidade, assumindo o conflito e trazendo os opostos polarizados à consciência, ativando, dessa forma, aquilo que Jung denominou de "função transcendente".[10]

Na época em que o ritual hebraico assumiu sua forma bíblica, o ego individual encontrava-se, ainda, imerso no coletivo, enquanto os costumes coletivos (a Lei) estavam apenas em processo de codificação. Essa Lei, mais do que a consciência individual, representava a fonte dos ditames restritivos. Era considerada a dádiva sagrada de um Deus único e patriarcal, definido como bom e identificado com a unidade e a perfeição de Seu Povo Escolhido. Nessas condições, a restauração de um sentido de totalidade, a restauração de um sentido de congruência entre o homem e Deus, dependia de uma separação ritual capaz de promover a consciência do mal por meio de uma confissão coletiva e do sacrifício. O ritual do bode expiatório foi, assim, adaptado de ritos mais antigos: um, destinado a exorcizar enfermidades oferecendo-se um sacrifício ao deus-bode dos pastores semitas; outro, a anual morte cerimonial de um ser humano, sacrificado para purificar e renovar a comunidade. O ritual hebraico tornou-se um meio de purgar o mal e ensinar a sensibilidade ética. Fazia parte das festividades do Ano-Novo.

O aspecto expiatório do ritual do Ano-Novo foi redefinido pelos hebreus. Atingiu um contraste marcante em relação aos festivais de renascimento das culturas politeístas vizinhas, em que os rituais de sacrifício cerimonial cíclico do Rei-bode expiatório, do prazer orgíaco e casamentos sagrados, reunificavam os reinos humano e divino, restituindo, aos membros da comunidade, um sentido de totalidade, por meio da *participation mystique*; um estado de identidade inconsciente com a divindade.[11] O Deus de Abraão e Moisés opunha-se a essas formas de renovação que empregavam a licenciosidade e a *prima materia* do caos via união extática.[12] Jeová reclamava a expiação ordenada dos elementos negativos. Atribuindo esses elementos ao bode expiatório, o sentimento de culpa pelo desvio do estado de unicidade com o coletivo, e seus valores comuns e sagrados, era purgado. Os membros da comunidade podiam colocar-se novamente como purificados e unidos entre si, sentindo-se abençoados por Deus. O sistema simbólico de pureza e totalidade necessário à sobrevivência grupal era restaurado.

Todas essas cerimônias expiatórias, entretanto, fundamentam-se na expulsão daquilo que é percebido como um elemento estranho. Erich Neumann, ao traçar uma analogia entre o desenvolvimento infantil e a história cultural, relaciona os ritos de expiação à rejeição anal. Considera análoga a rejeição das fezes à repressão necessária da sombra para a consolidação do ego.[13]

Temos aí um indício da complexidade do tema. Aquilo que é rejeitado é, em primeira instância, aceitável à criança e a seu responsável. O excremento é parte daquilo que já foi alimento necessário à subsistência, o inevitável subproduto da vida e da saúde do corpo e do ego, orgulhosamente expelido pela criança como expressão da capacidade criativa em formar a vida material. Algumas culturas consideram as fezes um valioso fertilizante, enquanto para outras é um purificador ritual. Entretanto, o excremento atravessa os limites do corpo, podendo ser considerado estranho e sujo. Como sugere Mary Douglas, a sujeira é o "elemento discordante" num "sistema simbólico de pureza".[14] É "aquilo que não deve ser incluído quando se pretende manter um padrão"[15] pois ela desafia o *status quo*. Torna-se, assim, ritualisticamente estigmatizada como poluente; carrega a ideia de ameaça.

Alguns bodes expiatórios humanos identificados com o elemento estigmatizado e estranho eram pecadores e criminosos condenados, que se tornavam merecedores de perdão, aceitando esse papel para a comunidade. Eram transgressores do código moral. Outros eram sacerdotes, imunes ao contágio do mal, enquanto outros ainda eram atores que encenavam o drama ritual por dinheiro. Porém, mesmo o indivíduo que não se adequava à norma vigente por razões positivas, estava sujeito a ser apontado, estigmatizado negativamente e execrado.[16]

Frazer descreveu os bodes expiatórios humanos, escolhidos por serem feios, deformados ou "dados à veneta", enquanto outros eram escolhidos pela sua força descomunal.[17] Em Roma, um homem representando o ferreiro, Mamurius Veturius, era o bode expiatório.[18] Originalmente, ainda, o rei, que se colocava à parte da ordem cultural por estar, ao mesmo tempo, em posição central e, enquanto governante, acima dela, era o bode expiatório da comunidade.[19] Era sacralizado ritualisticamente por meio de sua identificação com o Deus Anual, o consorte da Deusa. Seu sacrifício assegurava as bases de um ano-novo venturoso.

No mundo ocidental, esse papel de bode expiatório frequentemente foi atribuído aos judeus e outras minorias. Pode também ser atribuído a meninas, assim como às mulheres em que elas se transformam. Tais grupos normalmente carregam valores necessários à sociedade como um todo;[20] valores, entretanto, que a cultura prefere manter na sombra. Quando esses valores são desqualificados e os indivíduos identificam-se com o papel de bode expiatório, estes podem completar sua identificação por meio da autorrejeição e do comportamento motivado por, ou encobrindo, culpa e vergonha.

Todas as escolhas de bode expiatório apresentam, expressas, as duas principais formas pelas quais a cultura define o que seja inaceitável, devendo ser expulso ou reprimido. A primeira é mais racional, despertando, no transgressor, culpa e vergonha em relação ao superego (definido por Jung como o "repertório conscientemente adquirido de costumes tradicionais").[21] A segunda é menos racional, despertando a vergonha em relação a padrões menos conscientes, porém habituais, em níveis culturais, emocionais e estéticos.

Determinados comportamentos, considerados discordantes da prática comportamental e psicológica, são definidos negativamente pela lei e pelo costume. Assim definidos, são reprimidos na sombra de cada indivíduo desse grupo. Ali permanecem, indômitos e, em geral, inconscientes até certo ponto. Contudo, quando o ego é atingido por um influxo desse material sombrio, ou observa-o nos outros, a experiência frequentemente mescla-se à culpa, à ansiedade e à identificação reprimida. Além do fascínio, pois essas atitudes e comportamentos representam elementos necessários à vida, expulsos pelo coletivo – com muita frequência projetando-os em estranhos ou em membros especialmente escolhidos do grupo – a fim de manter um sentido de ordem e pureza. Esses comportamentos são tidos como contrários à corrente de evolução coletiva do momento. Todavia, a comunidade não pode purgá-los ou reprimi-los totalmente, e nem pode passar sem eles. Procura adaptá-los aos modelos aceitáveis ao grupo (por exemplo, tolerando o homicídio em batalha, mas não na tribo).

Os elementos considerados estranhos variam de acordo com o grupo. Para os primeiros hebreus, eles residiam nas infrações abertas às leis bíblicas. Quando o predomínio é de um costume cristão, os comportamentos legalmente proibidos entrelaçam-se numa rede de motivações e intenções analogamente negativas. A repressão se intensifica, atingindo não apenas as ações homicidas ou adúlteras, como até mesmo as emoções de ira e lascívia. Especialmente na cultura judaico-cristã, isto levou a uma desqualificação de muitos comportamentos (normalmente rotulados como pervertidos, egoístas ou fracos); a uma desqualificação de atitudes e funções não desenvolvidas pelo coletivo (especialmente os sentimentos introvertidos e a intuição),[22] bem como a uma desqualificação dos apetites e afetos instintivos, da sensibilidade e dos ritmos pessoais, que os costumes grupais predominantes não podem tolerar.

Os valores culturais, entretanto, não são definidos apenas por costumes codificáveis. Existem, também, hábitos emocionais e estéticos que criam modelos de forma e sentimento. Os membros da comunidade que, por um capricho da natureza, representam uma variação desses modelos, são normalmente rotulados por nenhuma ação particular de sua parte. São rejeitados, como patinhos feios, por sua transgressão a uma norma estética. Não correspondem ao padrão aceitável comum.

A OVELHA NEGRA

A situação dos indivíduos considerados inaceitáveis à comunidade por razões estético-emocionais é análoga, na psicologia pessoal, à da criança diferente, a "ovelha negra" da família.[23] A criança sente-se anormal, segregada e estigmatizada. Tal alienação parece ocorrer num nível primal de experimentação do mundo, tanto no sentido cronológico como em termos do nível de consciência mágico-matriarcal que opera então, e que persiste como profundo substrato da psique. A criança sofre, como resultado de sua alienação da figura materna, aquilo que Neumann classifica de "sentimento de culpa primordial".

> Um dos sintomas centrais de um relacionamento fundamental perturbado é o sentimento de culpa primordial. Ele é característico da desordem psíquica do homem ocidental... Esse tipo de sentimento de culpa aparece numa fase inicial e é arcaico; não deve ser confundido com e, principalmente, não deve ser derivado dos sentimentos de culpa posteriores, ligados à separação dos Pais do Mundo e manifestados no complexo de Édipo... O sentimento de culpa primordial remonta à fase pré-egoica... [e] leva a criança a associar a perturbação de sua relação fundamental à sua própria culpa primordial ou pecado original.[24]

Os indivíduos identificados com o arquétipo do bode expiatório sentem-se portadores de comportamentos e atitudes vergonhosamente perniciosos e que rompem relações – que perturbam a figura parental. No nível mágico-matriarcal, em que a parte é tomada pelo todo, eles se identificam com tudo aquilo que é tachado de "errado", de "feio" ou de "ruim". A rejeição, com grande frequência, é inconsciente ou racionalizada em termos do superego (tanto pelos pais como pelo bode expiatório), mas suas raízes vão mais a fundo. Não é a atitude da criança que acarreta a rejeição, mas sim o que a criança é em relação aos pais. A criança é considerada diferente e, portanto, ameaçadora e execrável.

A rejeição é experimentada pelo indivíduo como uma punição pela sua existência. Sentimentos de culpa, ansiedade e um núcleo sempre presente de ansiedade existencial – pela ausência de conexão com o todo maior – constituem o fardo do indivíduo. Trata-se de uma culpa subliminar em relação ao Self e projetada em direção ao continente familiar que rejeita a criança. Sentimento verbalizado por um jovem rapaz: "Que culpa eu tenho se eles deixaram de me amar? Sinto-me como se fosse o responsável pela dívida pública".[25]

Os que são identificados com o arquétipo do bode expiatório carregam, também, uma culpa individual, que compensa sua inflação com o arquétipo; um senso de incômoda fraudulência. Esse fenômeno pode ser percebido como uma culpa em relação ao Self de cada um, por viverem compulsoriamente agrilhoados a um papel coletivo, a fim de serem restaurados na comunidade redimida e redentora. O grilhão, que originariamente visava a preservação da vida, torna-se habitual – algo do qual não conseguem livrar-se nem mesmo sacrificando sua própria autoafirmação e bem-estar na tentativa de aplacar ou de modificar o coletivo o suficiente para tornar possível o seu retomo. Permanecem, dessa forma, presos ao Self projetado no coletivo; não conseguem encontrar sua própria autoridade interior ou a integridade de sua consciência individual.

A combinação desses três níveis de culpa – em relação ao superego, ao nível matriarcal e ao Self – impede a existência de um sentido coerente de identidade. É o que forma o substrato do profundo sentimento de "insegurança ontológica" (termo de R. Laing)[26] experimentado pelos indivíduos esquizoides, cronicamente regredidos ou identificados com um bode expiatório.

O RITUAL HEBRAICO DA EXPIAÇÃO

Há, no rito original hebraico, dois bodes e duas forças transpessoais. Há, também, o sumo sacerdote de Jeová, que representa um agente temporariamente consagrado do coletivo, mediador entre os mundos divino e humano. O ritual preliminar, no qual o sacerdote resgata a si próprio e à sua família, distingue-o nitidamente de sua posição comum, embora sacerdotal, permitindo-lhe apresentar-se perante Jeová em segurança, a fim de conduzir o ritual do Yom Kippur. Só então ele procede, a serviço de Deus e em benefício da comunidade, à fadada (pela sorte) distinção e oferenda dos bodes.

Um dos bodes é oferecido a Jeová para que Ele perdoe Israel. É sacrificado como uma oferenda pelos pecados, de modo que seu sangue possa purificar e sacralizar o santuário, o tabernáculo e o altar; o *temenos* ritual. Seu sangue aplacará o deus irado, expiando "a impureza dos filhos de Israel por todas as suas transgressões e pecados".[27] Os restos desse bode são tratados como matéria impura e cremados do lado de fora do acampamento. O outro bode, o bode expulso ou evadido, é dedicado a Azazel, um deus ctônico, posteriormente considerado um anjo decaído pelos hebreus.[28] Com as mãos sobre a cabeça do bode, o sumo sacerdote confessa "todas as faltas dos filhos de Israel; todas as suas transgressões e pecados, depositando-os no bode".[29] Esse bode vivo é, então, retirado do acampamento e mandado para o deserto – "e levará o bode, consigo, todas as culpas dos israelitas para uma região deserta".[30]

O sangue da vítima imolada redime e purifica. Representa a libido que é dedicada e liberada, por meio do sacrifício, para expiar o pecado e aplacar o Deus ultrajado. É a energia dos instintos sacralizada, a fim de conquistar-se um novo vínculo com o espírito; a fim de reconciliar a comunidade arrependida com o seu Deus e com os ideais sagrados que criaram e mantiveram a cultura hebraica. O errante bode exilado remove a nódoa da culpa. Enquanto portador do pecado, ele carrega os males confessados sobre sua cabeça para longe do espaço da consciência coletiva. Ele representa a libido relacionada com aquilo que é ao mesmo tempo necessário e causador de culpa, sendo, portanto, "afastado para o local identificado com ele" – ou seja, restituído ritualisticamente ao seu local de origem no inconsciente.[31] Ele representa tudo aquilo que acarreta culpa, sendo, portanto, rejeitado e reprimido pelo código hebraico: as energias e necessidades instintivas que ameaçam o desenvolvimento humano aos olhos de Deus; a energia dos impulsos descontrolados, particularmente a sexualidade, a rebeldia, a agressão e a cobiça – atributos projetados sobre Azazel.

Capítulo 2

A ESTRUTURA DO COMPLEXO DE BODE EXPIATÓRIO

Considero, atualmente, a psicologia dos indivíduos identificados com o complexo de bode expiatório em nossos dias como a manifestação de uma distorção patológica da estrutura arquetípica do ritual hebraico.

São os dois fatores subjacentes a essa distorção. Em primeiro lugar, conforme assinalamos na introdução, houve uma secularização da figura arquetípica, originalmente vital, resultando numa perda de conexão consciente com a matriz sagrada de onde provém o fluxo curativo e renovador. Em segundo lugar, houve uma mudança radical na concepção de Azazel, adulterando-a de modo a levar a libido a ele dedicada a uma rígida dissociação da consciência, em vez de simplesmente suprimi-la. Essa mudança também ocasionou rupturas entre as partes originalmente unidas do padrão arquetípico.

Ambos os fatores determinaram uma cisão na estrutura, fundamentalmente transpessoal, da esfera arquetípica. Dessa forma, as energias simbolizadas pelas imagens não podem conectar-se entre si. Conforme W. B. Yeats em *A Segunda Vinda*:

> Tudo se desagrega; o centro não se sustém;
> A simples anarquia se perde mundo afora,
> Espalha-se a maré escura de sangue e, por toda parte,
> A cerimônia da inocência naufraga.*[32]

No complexo de bode expiatório atual, o campo energético foi radicalmente desmembrado. Pretendo analisar, adiante, as formas particulares, as combinações e os modos de operar dos aspectos desmembrados da imagem. Enquanto os contornos dos aspectos da imagem não se delineiam com a necessária clareza, em cada caso individual, ter em mente a *gestalt* completa, e suas distorções e rupturas modernas, ajuda na orientação do terapeuta. Isso é importante, considerando que boa parte do processo se situa num nível pré-egoico e mágico, envolvendo campos energéticos e reações indiferenciadas, embora caracteristicamente

---

* *Things fall apart; the centre cannot hold;*
Mere anarchy is loosed upon the world,
The blood-dimmed tide is loosed, and everywhere
The ceremony of innocence is drowned.

dissociadas, que atrapalham tanto o paciente como o terapeuta e que resistem à consciência.

AZAZEL, O ACUSADOR

Originalmente, Azazel era um deus-bode dos pastores pré-hebraicos. Mesmo no ritual bíblico, ele não representa um opositor de Jeová, mas sim um estágio na repressão de uma divindade da natureza anterior a Jeová. Estava relacionado com a beleza feminina e sensual, bem como com as religiões naturais. Segundo os últimos patriarcas hebreus, ele levava as mulheres ao pecado, ensinando-as a elaborar cosméticos, e os homens à guerra, ensinando-lhes a criação e o manejo de armas.[33] Estava relacionado, portanto, com os instintos eróticos e agressivos.

O nome Azazel foi traduzido por "bode que parte", "rocha dura" ou "o forte de Deus".[34] Em um parágrafo do Midrash lê-se: "Os pecados são enviados a Azazel para que os leve consigo".[35] Sem dúvida, nenhum portador humano é capaz de tal feito. E é esta a imagem correspondente ao propósito original do ritual bíblico em que a libido, causadora de culpa, era remetida à sua fonte transpessoal. Os hebreus eram suficientemente cientes de seus impulsos instintivos a ponto de conseguirem impor uma supressão responsável. Assim, eles enviavam, ao deus ctônico, no ritual, conscientemente, e em reverência, aqueles pecados com os quais o homem não poderia arcar.[36]

Progressivamente, contudo, Azazel passou a carregar a projeção de uma face de Jeová. Do ponto de vista histórico, isso permitiu que a imagem de Jeová começasse a diferenciar-se daqueles deuses primitivos da natureza, de pura força e criatividade:

> Jeová era capaz, por um lado, de uma fúria destruidora, mas, também, de compaixão e fidelidade. Era, portanto, em certo sentido, um símbolo em transição, entre as imagens dos deuses selvagens do homem primitivo e aquela do "deus amoroso" que seria forjada nos séculos seguintes.[37]

Progressivamente, Azazel passou a carregar o exagero defensivo da própria reação de Jeová contra o mundo do feminino e dos deuses pré-hebraicos da natureza. Tornou-se, ele próprio, o bode expiatório de Jeová, sendo redefinido como um anjo rebelde, simplificado, colocado como opositor e negativo, a fim de expungir a sombra de Jeová. O antigo deus foi transformado em demônio.

A imagem de Azazel modificou-se à medida que a ruptura entre o bom Deus e o demônio tornou-se mais profunda. Ginzberg relata a lenda judaica segundo a qual Azazel, o demônio ao qual o bode expulso era enviado, fora, no passado, um anjo que acusou Israel perante Deus:

> "Por que Vos apiedais deles quando eles Vos provocam? Deveríeis, antes, destruí-los." E Deus respondeu: "Se estivesses

entre eles, também pecarias". Foi então que Azazel pediu para ser testado e descer para viver entre os homens. Um impulso maligno dominou-o...

e ele rendeu-se à luxúria. Como punição, foi obrigado a viver afastado de Deus e dos homens, no deserto, "a fim de silenciar os acusadores, pois estes saberão de seu destino e ficarão calados".[38]

Assim, Azazel passou a ocupar, psicologicamente, o lugar do juiz arrogantemente puro, condenador e hipercrítico, que mantém o homem preso a um padrão de comportamento impossível de ser alcançado, uma vez que as forças instintivas irrompem em sua frágil disciplina. É um padrão que não leva em conta os fatos da vida e o envolvimento do homem pela natureza. Implica, de forma insolente, que, somente pela arrogância e pela vontade pode-se resistir às provações da vida.

Azazel torna-se, aqui, semelhante a Satã, o antagonista. Enquanto acusador do homem, representa a Justiça divina dissociada da Piedade divina, o que Gershom Scholem, escrevendo sobre a Cabala, denomina "aquele que é radicalmente ruim".[39] Representa o mal de uma parcialidade e uma ruptura diabólicas, de ser arrastado por um padrão de comportamento único.[40] Transforma-se no portador do mal da ira divina.

À medida que a imagem hebraica do bode expiatório foi distorcida, Azazel passou a operar a partir dessa perspectiva distorcida. Tornou-se o acusador arrogante e condenador, defensor de uma moral de imperativos dogmáticos e perfeccionistas, o diabólico destruidor dos que transgridem a Lei de Jeová. É essa distorção, exageradamente parcial e sádica, da divindade ctônica, original, que transforma Azazel num acusador; um perseguidor de bodes expiatórios, na psicologia de homens e mulheres da atualidade; o antilibidinoso superego em sua forma sádica: o puro desprezo.

Nos indivíduos identificados com o complexo de bode expiatório, esse acusador é constelado pela rejeição na família. Essa rejeição se origina nos julgamentos morais da mãe ou do pai, relacionados, assim como no Azazel hebraico, com o modo como as coisas deveriam ser e não como elas são.

Quando a consciência se identifica com a parcela do complexo existente no acusador, o indivíduo passa a acusar os outros, exercendo um tráfico de virtudes e probidade superiores. Quando a consciência identifica-se tanto com a vítima como com o perseguidor demoníaco, esse acusador demoníaco constantemente rejeita, enculpa e desqualifica as atitudes e ações do outro que, por sua vez, aceita, de forma masoquista, a rejeição. Quando a consciência se identifica, tanto com o acusador como com o ego-*persona* alienado, o acusador sustenta os rótulos e imperativos coletivos aos quais o indivíduo luta por corresponder, enquanto ignora suas necessidades pessoais – exceto as necessidades de ser correto, de vencer ou de ser bem-sucedido, a fim de se encaixar; a fim de pertencer.

Em cada um dos casos, o acusador do bode expiatório é experimentado como uma moral elevada, mas ultrassimplificada, que representa virtudes coletivas e, portanto, opõe-se à vida instintiva, possuindo, todavia, a força impessoal e compulsiva de um instinto. É percebido como um escárnio ou acusação automáticos; um julgamento maniqueísta, uma avaliação anterior à própria observação dos fatos. Funciona, portanto, como uma função pervertida, coletivizada e rígida do sentimento, não temperada por dados de realidade fornecidos pelas sensações ou pela intuição. Em cada caso, o acusador demoníaco funciona com a arrogância de poder e a autoridade do Self, enquanto a pessoa identificada com o arquétipo do bode expiatório apega-se a este, ao mesmo tempo que se sente aterrorizada por ele e pelos indivíduos nos quais o arquétipo é projetado. Segundo as palavras de uma mulher: "Eu seria um horror sem o Juiz; seria preguiçosa, egoísta, mesquinha e voraz. Cometeria os sete pecados capitais".

Esse sádico superego está presente na psicologia do indivíduo identificado com o bode expiatório, mesmo quando este conscientemente se identifica com o ego-*persona* ou com o ego-vítima alienados.

O BODE IMOLADO

Além do acusador, temos também o "bode imolado", simbolizando, originariamente, a libido sacrificada ao injuriado Jeová. No ritual hebraico, ele consistia em energia apaziguadora de Deus, permitindo uma purificação e renovação coletivas por meio do contato reconciliador com o transpessoal. No complexo atual, entretanto, esse bode corresponde ao pré-ego ou ao ego-vítima, oculto e desamparado, que sofreu e se identifica com a rejeição. Representa a libido que foi simplesmente confinada, dispersada ou escondida, em vez de sacralizada.

A incapacidade do ego-vítima para viver segundo ideais coletivos, sendo portanto indigno de perdão, leva-o a sentir-se indigno de viver. Experimenta o "sentimento primordial de culpa". Em vez de conectar-se a outras pessoas, ou ao transpessoal, esse ego-vítima rejeitado subsiste num estado de morte e regressão crônicas, num estado dissociado ou fragmentário. Apega-se a um anseio secreto de reconciliação, de renovação e renascimento. Representa, porém, o fracasso da renovação, pois a conexão consciente com a fonte transformadora foi perdida há tanto tempo que não pode ser reencontrada sem ajuda. Além disso, reconciliação significa apenas: alcançar os ideais coletivos por meio da destruição de tudo o que lhes seja inferior. Um indivíduo expressou esse aspecto da seguinte forma:

> Minha agonia e isolamento, meu senso de total incapacidade, meu anseio de purificação através do suicídio – é uma sede de renovação, de soltar as peças deste meu velho corpo. Uma medida desesperada; fico preso à destruição indefinidamente; arruinando todos os meus projetos e relações, porque nenhuma semente pode brotar, em razão de eu nunca ter sido bom o bastante; não há chão no qual eu possa confiar.

O ego-vítima oculto sente-se inadequado perante as exigências da realidade, uma vez que não pode proclamar nem as necessidades de dependência e nem a força dessa realidade sem incorrer em culpa. Vive, assim, como uma criança diante da vida. No trabalho com pacientes, essa criança frequentemente é descrita como "torturada", "mortalmente enferma", "impassível" ou "uma coisa totalmente perdida". O sonho de uma paciente em início de terapia mostrava-a fazendo uma cama de neve para o seu bebê, "a fim de mantê-lo a salvo no gelo". Outra mulher relatou um sonho em que era informada sobre uma criança muito pequena trancafiada num cofre de chumbo. O bebê estava exaurido e o ego do sonho não tinha a chave do cofre e nem o menor desejo de tentar livrá-la de seu sofrimento.

Nota-se, nos pacientes submetidos a terapia, uma aversão inicial em lidar com a criança oculta, desamparada e vitimada que existe dentro deles, pois se identificam tanto com o desamparo quanto com o superego, que é rejeitado e desprezado. Sofrem, assim, de uma paralisante fragmentação da consciência. É, contudo, essa parte totalmente passiva, inconsciente e perdida, que mantém a semente da renovação espiritual a ser encontrada e resgatada pela terapia. O relacionamento terapêutico pode proporcionar um recipiente nutritivo e orgânico no qual essa renovação tem condições de brotar com segurança – brotar no sentido de encontrar-se uma imagem aceitável do Self, assim como uma relação viável e renovada para com a vida, a princípio na transferência e, posteriormente, no transpessoal.

Considerando que essa imagem do Self é, inicialmente, projetada no terapeuta, a energia de transferência leva o paciente a cair num jogo de amor e ódio carentes, no momento que esse ego-vítima é finalmente tocado. O terapeuta é visto como o redentor da criança, tão perdida e faminta que se sente perpetuamente incapacitada de receber o suficiente. São comuns as imagens, em sonhos e desenhos, de buracos negros no espaço, de animais devoradores, vorazes, e de incômodos mendigos de rua. A possibilidade de aceitação em terapia permite que o pré-ego seja conhecido, embora as inevitáveis frustrações com os rituais terapêuticos, somadas aos limites humanos e à personalidade do terapeuta, possam, cutucar antigas feridas, dando origem à raiva e ao ódio. É fundamental que o terapeuta aceite tanto esse amor intenso e carente como a raiva, pois estes são os afetos iniciais e básicos do ego-vítima mantidos vida afora.

O BODE ERRANTE

Temos também o bode errante, o portador escolhido e sobrecarregado pela culpa coletiva. Ele é análogo à libido dos impulsos que, originalmente, ameaçavam ou desafiavam os ideais do *status quo*, sendo considerados pecaminosos. Essa libido acarretava culpa, sendo, pois, banida. Conforme discutimos acima, era dedicada ao ctônico Azazel e devolvida a seu lugar de origem no inconsciente por meio da responsabilidade ética consciente promovida no ritual hebraico.

No complexo moderno, Azazel é um juiz que condena e não uma fonte ou mensageiro divino. Uma vez que representa um espírito negativizado que não aceita e nem reconhece nenhuma impulsividade obstinada, o bode errante torna-se um símbolo das energias dissociadas, portanto demoníacas, que perderam sua conexão com uma fonte de libido transpessoal e neutra. Essas energias não conseguem encontrar a matriz na qual podem ser aceitas, e nem poderão ser admitidas, em absoluto, na consciência, enquanto o acusador estiver no controle do que seja aceitável.

Essas energias são as necessidades decompostas, agressivas, sexuais e de dependência que irrompem, de forma impulsiva e compulsiva, no indivíduo esquizoide e que são vivenciadas com assombro e culpa temerosos, quando não são completamente negadas. Uma vez que esses impulsos não podem encontrar seu lugar no transpessoal, permanecem presos ao indivíduo identificado com o bode expiatório como um fardo pessoal seu. Eles forçam o desenvolvimento de um ego pessoal precoce e grandioso que se sente na obrigação de carregá-los. Isso proporciona certo sentido de identidade positiva e uma força de enormes proporções, compensando a fragilidade e o masoquismo do ego-vítima. Ser o "Forte de Deus" é entendido como o papel do indivíduo identificado com o bode expiatório.

Na ausência de outro responsável, esse ego pessoal alienado e precocemente dominado pelo sentido de dever, serve de defesa ao ego-vítima. Ele garante que a frágil vítima seja mantida a salvo "no gelo", com uma determinação que assegura sua sobrevivência, ainda que em esconderijo.

O SACERDOTE E O EGO-*PERSONA*

A secularização e a distorção da potência divina levaram à supressão da figura do sacerdote enquanto reverente consciência coletiva. Ele se tornou o representante, não da voz de um Deus injuriado mas misericordioso, mas da voz de um coletivo secular que perdeu seu vínculo com o mundo interior e com o espírito.

Em toda parte, e não apenas no *temenos* ritual purificado, a voz sacerdotal anuncia o que é considerado positivo, com a autoridade outrora conferida pelo transpessoal. E serve, sem consagração especial alguma, de modelo do que seja coletivamente aceitável. Assim, no complexo de bode expiatório, o falso sacerdote conspira com o acusador a fim de forçar uma qualidade de adaptação da *persona* alienada do mundo interior, funcionando apenas com as máscaras externas, necessariamente dissociadas. O sacerdote é análogo às vozes parentais e coletivas que definem o que seja bom ou ideal. Estes tornam-se os tutores e modelos do ego-*persona* alienado com o qual o indivíduo identificado com o bode expiatório procura ocultar o material da sombra com o qual está identificado e que ele é "escolhido" para carregar.

O ego-*persona* alienado aprende a atuar no mundo em graus variados de êxito, adaptando-se às circunstâncias externas. Busca sua identidade fora de si próprio, esperando encontrar o Self, em projeção nos outros, e a aceitação inevitavelmente impossibilitada por esse papel de portador do pecado e da sombra.

Na verdade, o ego portador da sombra, alienado e errante, anseia de tal modo por ser aceito pelo coletivo que acaba adotando qualquer *persona*. Ele vai conciliar, insinuar, bancar o palhaço, tornar-se indispensavelmente competente, vender sua alma, pertencer a quaisquer coletividades valorizadas – mesmo ao preço de resignar-se a ser um marginal sem o direito de protestar diretamente contra essa condição. Ele percorre, condenado, o deserto de Azazel, encobrindo seu peso de negatividade com um estoicismo passivo e sobranceiro, normalmente acompanhado de um senso de probo martírio. Sente o seu fardo especial e poluído convencido de que ninguém poderá aceitá-lo caso não desempenhe seu papel de modo aprazível e satisfatório.

O ego-*persona* não pode confiar nem encontrar um sistema de valores superior àquele do acusador que o condena. Oculta o material da sombra coletiva, com o qual se identifica, por baixo de seus múltiplos papéis e fachadas, vagando precariamente, habituado à rejeição e ansiando por libertar-se. Porém, teme igualmente a aceitação, pois isso significaria abandonar o peso sobre o qual está assentada a sua identidade. Exilado dos limites da comunidade original, vive em continentes coletivos artificiais, mediadores das forças transpessoais, e que impedem que o indivíduo mergulhe diretamente no terror e na riqueza do inconsciente. Isso porque, ao contrário do psicótico, o indivíduo identificado com o bode expiatório relaciona-se com a realidade por meio do seu ego-*persona*, podendo, inclusive, adaptar-se a papéis com êxito, embora num impulso forçado de competência.

Geralmente, esse ego portador da sombra, alienado e desprovido de qualquer apoio além da *persona*, é confrontado logo no início do processo terapêutico. Um dos problemas nesse estágio é tolerar sua presença necessária, enquanto único mediador no relacionamento, e, ao mesmo tempo, impedir sua tentativa de forjar algum artifício aprazível e superficial contra o continente analítico. Segundo as palavras de um paciente:

> Estou sempre armando a cena para agradar a plateia. Pensei que você gostaria se eu representasse um tipo intelectual e poético. Meus terapeutas anteriores gostavam. Achei que poderia manipular você. Agora, não sei o que fazer. Isso é um alívio, mas é também humilhante e assustador – como estar numa terra de ninguém, exposto e vulnerável.

A mistura de desejo de aceitação e um incômodo sentimento de poder em relação ao terapeuta mostra se claramente aqui. Bem como o valor das *personae* artificiais em sua função protetora e cautelar, levando o indivíduo a lidar com o desamparo do ego--vítima face à condenação, já esperada, pelo superego. Enquanto o vínculo terapêutico não adquire confiança e enquanto os sonhos não sugerem ao paciente que ele é capaz de suportar um confronto, tais *personae* deverão ser admitidas. Confrontos e interpretações prematuras podem destruir um processo de conquista da confiança e cristalizar o ego-vítima numa adaptação e cooperação aparentes que não passam de mais uma defesa.

Capítulo 3

O EXÍLIO NO DESERTO

Vagar pelo deserto foi sempre uma imagem aterradora; esse exílio, entretanto, é fundamental para o mito do homem ocidental a partir da Queda, essa ruptura de um vínculo e de uma harmonia iniciais, análoga à perda do paraíso e ao nascimento para as difíceis separações e lutas terrenas. O exílio constitui uma imagem arquetípica do estímulo doloroso que força os indivíduos a procurarem um retorno e uma reconciliação com o transpessoal.

Para a maioria das pessoas, o deserto é uma região situada além das formações culturais aceitas, repleta de "potencial de desordem... em contato com o perigo... na fonte do poder".[41] No deserto, o indivíduo defronta-se com o transpessoal, com o desconhecido. Quando penetrado consciente e voluntariamente por um xamã-curador ou profeta, a experiência do deserto pode transmitir uma vitalidade especial, além de poderes e de uma autoridade especiais; esses poderes, por sua vez, aliados à consciência adquirida na fonte transpessoal, poderão ser devolvidos no sentido de enriquecer o coletivo.[42] Quando penetrado involuntariamente, na condição de um estrangeiro condenado, como Caim, Ismael ou o bode expiatório, o deserto constitui-se numa maldição.

Para os indivíduos identificados com o bode expiatório, o deserto representa uma imagem expressa de sua experiência existencial de profunda alienação e exílio. E o material de sua própria realidade percebida a rodeá-los, pois se sentem anômalos, excluídos dos limites coletivos e inaceitáveis. Não podendo contar com alguma figura interior de apoio, veem-se deserdados do sustento transpessoal e coletivo, a menos que sejam, temporariamente, identificados com um papel aceitável da *persona*. O deserto parece, assim, uma aridez imensa, avassaladora; um lugar de ofuscante confusão e penúria. O terrível domínio de Azazel.

Psicologicamente, o deserto, para esses indivíduos, é análogo ao seu senso paralisante de apatia, de ausência de sentido, de abandono e pânico. Reflete a dor do seu perene não pertencer; da sua carência de um porto seguro; de seu viver às escondidas. Eles se sentem descobertos quando isso é interpretado como um sentido de viver num inferno ou mundo subterrâneo por toda a sua existência, pois não experimentaram satisfação interior alguma e nem, tampouco, apoio exterior algum. Paradoxalmente, o deserto é, também, a região de seu eventual encontro com o Self individual oculto. Porém, como carecem da validação maternal e coletiva que poderia criar um foco individual de consciência e vontade, apenas conseguem habitar, inicialmente, um caos desfocado, incapazes de contactar as potencialidades originais, a não ser por intermédio do terror ou da identificação onipotente.

Por se sentirem radicalmente inaceitáveis, seu anseio frustrado possui um sabor arquetípico imediato. Seu exílio é marcado por uma intensa sede de ligação com o Outro, tanto em nível pessoal como em nível transpessoal, e mesmo por um apetite palpável pelo divino. É marcado, também, entretanto, por um medo profundo de qualquer tipo de ligação, o que mantém esse apetite intensa e torturantemente vivo. Eles estão repletos de um anseio por pertencerem a uma realidade estável, previsível e continente, na qual certo controle e invulnerabilidade do ego poderiam proteger sua fragilidade dos massacres das energias transpessoais imediatas. Em vez disso, vivem com um sentido onipresente de perigo e uma consciência da sombra que os demais, a seu redor, não desejam enxergar. Podem, inclusive, ansiar pela morte, como um fim ao seu senso de exílio, ou possuir um forte sentimento de que jamais deveriam ter nascido.

Esse estado foi expresso por uma jovem em análise. Ao ver-se incapaz de atuar por intermédio de sua competente mas frágil *persona* de cientista, afastou-se do trabalho e caiu de cama, aos gritos de que nada jamais fizera sentido, que odiava a vida e queria ser cuidada, pois tinha de ser a "salvadora" de sua desafortunada família; que era uma "medonha boneca de bebê morta, cujos olhos haviam caído cabeça adentro". Sentia-se caoticamente fragmentada, identificando-se, ao mesmo tempo, com diversas partes do complexo: o ego-vítima, o redentor, o acusador e a *persona*-boneca. Tornou-se incapaz, durante algum tempo, de perceber ou agir, senão pela perspectiva do complexo.

Outra mulher identificada com o bode expiatório passou a sofrer de insônia depois do início do processo analítico, sintoma que a surpreendeu pois, inicialmente, ela apreciava o sono, que lhe proporcionava sonhos proveitosos para o trabalho analítico. Preocupada com seu recente problema, sonhou que passaria por um exame a fim de purificar seu organismo. O exame envolvia a imersão em determinado líquido, até que ela perdesse a consciência. Viu-se, depois, despertando num mundo governado por um lobisomem chamado Ricardo Terceiro. Estava claro que ela experimentara a prova iniciática que permite a mudança da consciência (o sono, a terapia e o exame) como a purificação que a devolveu à temida aridez do submundo em que habitara durante a maior parte da sua vida. Seu governante era um poderoso monstro tirânico, enquanto sua atitude habitual era de terror e submissão masoquista a esse poder perfeccionista. Ela percebeu que a alteração em seu estado de sono significava o retorno, via uma distorcida diálise, àquele mundo sufocante. Vendo suas defesas usuais e sua competência compulsiva abrandadas pela terapia, ela agora temia ser novamente capturada pelo governante distorcido e diabólico de seu cruel superego familiar. Já começava também a projetar esse imperativo perfeccionista na análise, procurando compactuar com a terapeuta, no intuito de se mostrar uma paciente boa e interessante.

Quando passou a um confronto mais consciente com a força dessas imagens no seu passado e no presente, a sintomática insônia intensificou-se. Sonhou, então, com um aliado cuja mão ela segurava ao atravessar um bueiro seco. A aguada inconsciência havia secado, e ela agora possuía uma figura interior, com a ajuda da qual podia penetrar e atravessar o deserto. A aceitação de seu próprio perfeccionismo e tirania ainda não estavam, obviamente, em pauta; além disso, uma interpretação nessa linha seria prematura então, pois seu ego ainda não estava suficientemente fortalecido a ponto de arcar com a responsabilidade dessas energias da sombra. Bastava, nesse estágio, apontar o modo como ela fora vitimada.

Onipresente, no deserto encontra-se o acusador do bode expiatório. Ele rejeita o que quer que se apresente, de qualquer direção, acusando o indivíduo de fraqueza por este buscar ajuda, de ser incapaz de utilizar qualquer ajuda, de ser diferente e incapaz de mudar. O indivíduo teme, dessa forma, a dor da rejeição em toda parte. O terapeuta tem de lidar cautelosamente com esse medo, a fim de promover a confiança, estimulando a consciência e a força do ego. Num primeiro estágio, isso significa aliar-se ao sentido fragmentado de identidade do paciente contra Azazel, o diabólico acusador, orientando o ataque, por vezes, adotando até um papel protetor ou assertivo, até que as habilidades autoprotetoras possam ser apreendidas por meio de modelos.

Isso significa aceitar a paranoia e as defesas a fim de torná-las conscientes. Em muitos casos, envolve também uma penetração empática no deserto e, por vezes, uma ampliação do sentido de desamparo do paciente por meio de elementos que expressem uma penúria semelhante. Essa ampliação serve para mitigar a total solidão do paciente, oferecendo um espelho suficientemente impessoal para não ameaçar sua identidade, assentada em sua condição de "solitário". Ocasionalmente, entretanto, essa ampliação poderá assustar o paciente, como nos casos em que é tomada por uma identificação do terapeuta com o acusador interno, reforçando a ideia de que tal penúria constitui, de fato, a real condição do mundo.

Mesmo uma simples observação descritiva poderá ser distorcida de modo a parecer uma conivência com o sádico acusador. Uma vez que a realidade maior do paciente é o julgamento negativo e o autodesprezo habituais, mesmo uma observação objetiva poderá ser distorcida no sentido de romper a aliança terapêutica e repetir a compulsão do paciente em permanecer em seu exílio familiar, embora penoso. Inversamente, a empatia do terapeuta pode levar o paciente a ver o terapeuta apenas como mais um bode expiatório e uma vítima, demasiadamente lesado, fraco ou estranho para ser um bom analista. As rupturas no complexo acarretam, a princípio, uma distorção de muitas interpretações, fazendo com que o desprezo do acusador, aliado ao medo da vítima, ameacem constantemente frustrar o potencial do relacionamento analítico. Certa mulher percebeu, por fim, que desejava que o analista contradissesse sua melancólica ladainha, de modo que pudesse rejeitar a postura do analista como exageradamente positiva e pueril.

As interpretações devem ser pesadas de maneira cuidadosa o tempo todo, pois o impulso de polarização do complexo não apenas é contraproducente como contribui para o isolamento do paciente. Como a realidade do exílio "infernal" é negada pelo coletivo, que não deseja ver a própria sombra, o terapeuta será constantemente testado na sua capacidade de permanecer com o paciente em situações que parecem terríveis e, ainda assim, de não polarizar-se contra a penosa realidade e nem de mergulhar nela ao lado do paciente. O terapeuta é testado em sua habilidade de "sobrevivência".

O deserto é a expressão do isolamento em sua implicação de aridez. O deserto apenas pode proporcionar um relacionamento distorcido, se tanto, com o fluxo criativo interior. Aquele que sofre do complexo de bode expiatório não consegue suportar o isolamento necessário ao trabalho criativo e original, porque o isolamento implica, no caso, simples desolamento ou perturbadora alienação. A necessidade de conhecer e a autoacusação compulsivas evitam a formação da *Gestalt* de tudo o que possa ser original. Os indivíduos identificados com o bode expiatório não estão centrados em sua própria fonte criativa, mas sim no serviço de defesa dos ideais coletivos e em sua própria incapacidade e rejeitabilidade. No âmbito do complexo, portanto, o acesso do indivíduo ao imagético só é permitido num sigilo solipsista ou numa furtiva segurança. Por nunca exporem seus esforços criativos, ficam a salvo dos ataques já esperados. Roubando elementos de terceiros, a fim de oferecer à plateia aquilo que já é aprovado, permanecem seguros e guardados do escárnio do acusador projetado na assistência. O perfeccionismo do acusador interno do bode expiatório bloqueia o espetáculo improvisado, necessário à descoberta da tonalidade própria do indivíduo. Porém, enquanto seus elevados padrões poderão contribuir para a aquisição de hábitos disciplinados de trabalho, podendo ajudar o indivíduo a cumprir tarefas padronizadas ou prescritas, são contraproducentes no que tange às tarefas que exigem criatividade, a expressão da originalidade do Self individual.

Quando os canais criativos se abrem, é sinal de que os grilhões do complexo foram afrouxados. Encontrar esses canais criativos é necessário àqueles que estão identificados com energias demoníacas, como os indivíduos portadores do estigma do bode expiatório. A forma criativa proporciona um receptáculo para acolher e dominar essas energias.

Capítulo 4

O BODE EXPIATÓRIO NA FAMÍLIA

Existe, atualmente, uma considerável literatura clínica relacionando o papel do bode expiatório no contexto familiar com as patologias graves.[43] A identificação com o papel de bode expiatório acarreta a inibição de determinados aspectos do desenvolvimento egoico na fase oral. Posteriormente, os arquétipos do desenvolvimento egoico são desviados em direção à vítima alienada, fragmentária e passiva, bem como aos papéis compensatórios do servo sofredor e do salvador. As energias instintivas não são dominadas e nem tampouco integradas; permanecem dissociadas, explosivas e amedrontadoras. A inabilidade do bode expiatório adulto em desenvolver uma identidade e uma autoconfiança próprias deve-se ao fato de ter sido sobrecarregado, desde muito cedo, com aqueles elementos desvalorizados, negativos, reprimidos e dissociados pelos pais, que, em primeira instância, representam o coletivo.

Uma vez que não existe uma forma consciente de purgação – exceto acusando os outros, especialmente as minorias raciais e étnicas –, nossa moderna cultura secular oferece pouca ajuda ao trato com o material da sombra. Assim, o problema passou para a inconsciência. A sombra é projetada, atuando por intermédio dos complexos inconscientes.

A família do indivíduo identificado com o bode expiatório geralmente se preocupa bastante com os aspectos externos da moral coletiva, a ponto de necessitar purgar-se, como se seus membros estivessem na incumbência de defender algum esforço ancestral ou social em ser bom ou, ao menos, em parecer bom. Eles não conseguem processar aquilo que consideram negativo e nem, tampouco, distinguir entre o ator e suas ações. Os pais, ou outros, que escolhem um bode expiatório nessa forma moderna e inconsciente, são também, obviamente, vítimas do mesmo complexo. A identidade de seu ego, porém, com frequência está mais próxima daquelas partes do complexo que classifiquei como o acusador demoníaco e o sacerdote. Eles tendem a possuir modelos muito fortes de superego e normalmente lutam por desempenhar funções de pilares da sociedade: religiosos, médicos, professores, políticos e psicólogos. Eles têm um interesse agressivo, travestido numa imagem da *persona* adequada aos padrões coletivos de virtude e boas maneiras, pois sua identidade depende, em última análise, da aprovação coletiva e externa. Mas mostram-se capazes de angariar o suficiente dessa aprovação para continuarem inconscientes em relação aos aspectos de si mesmos que não mereceriam a mesma aprovação. Sua negação da sombra pessoal dissocia-os das próprias profundezas instintivas e da sua individualidade, tornando-os frágeis e defensivos. Outros, incluindo seus filhos, conseguem detectar sua fragilidade e sua sombra renegada, podendo reagir com um excesso de proteção ou atacando sua hipocrisia.

Geralmente, os pais dos indivíduos identificados com o bode expiatório transmitiram aos filhos, que eles – os pais – têm medo e são incapazes de confrontar uma realidade emocional e simbólica. Adotam papéis, praticidades e imperativos – elementos impessoais – como escudos entre eles e os outros. O decoro e o dever suplantam o sentimento pessoal e a responsabilidade nos relacionamentos. Eles temem a exposição e a nudez do contato emocional direto. (Para a mãe de um paciente, ansiedade era sinal de falta de sono; para os pais de outro paciente, um caloroso "muito obrigado" significava apenas que o presente havia sido recebido.)

A competência passa a ter um valor primordial, enquanto as emoções que expressam dor e medo são diminuídas ou ignoradas.

Os perseguidores parecem possuir um medo profundo de confrontar seu próprio desamparo fundamental perante a vida. Defendem-se desse desamparo ativando um aspecto de concreção, como se para cada problema houvesse uma solução prática.

No âmbito do complexo, fixam-se, em relação à criança tomada como bode expiatório, num pensamento mágico e concreto. A realidade psíquica não é admitida. É dissociada. Tendem, assim, a ler as mensagens emocionais como sinais concretos, coletivos e práticos, interpretando, erroneamente, o sentimento da criança como um fato físico, uma solicitação concreta ou uma afirmação genérica. Essas concretizações e generalizações exacerbam os sentimentos de desamparo que os perseguidores, com seus frágeis egos-*persona*, não podem suportar. A partir daí, são lançados em ciclos mais profundos de rejeição à criança, aparentemente muito mais forte.

Nos casos em que a realidade emocional é admitida pelos pais perseguidores, ela só é considerada aceitável sob determinadas formas de expressão sancionadas de maneira coletiva. "Quando falávamos de nossos sentimentos de forma madura, indefinidamente, de modo que ela os acolhesse, podíamos contar que estávamos com raiva ou tristes", disse uma jovem mulher sobre o estilo exigente e psicologizante de sua mãe. Na maior parte dos casos, o pai ou a mãe perseguidor recebe a expressão dos impulsos da criança de maneira tão defensiva e impessoal que esta percebe o perigo que esses impulsos representam para o adulto – e, portanto, para ela mesma também. O material da sombra não pode, em tais circunstâncias, ter uma mediação humana.

Além disso, os impulsos da sombra dos pais, negados sob a *persona* coletivizada, frequentemente irrompem, de modo irresponsável, na "segurança" do lar. De modo alternativo, ou idêntico, esses impulsos podem ser percebidos em projeção e, então, atacados com desprezo. Um homem identificado com o bode expiatório, começando a tomar consciência de seu núcleo esquizoide, relatou o seguinte quadro:

> Meus pais ora ignoravam o que consideravam negativo – incluindo suas violentas discussões –, ora procuravam destruí-lo abertamente pelo escárnio. Eu sentia que a maior parte de mim não era percebida, encontrando-se em perigo, de modo que aprendi a não me arriscar a revelar minhas motivações pessoais. Ser amado significava apresentar aquilo que fosse aprovado e seguro. Meu verdadeiro eu vivia oculto.

A antropóloga Mary Douglas coloca as considerações desse indivíduo numa perspectiva mais ampla:

> Há muitas formas de se tratar anomalias. Pela via negativa, podemos ignorá-las; simplesmente não percebê-las, ou, se as percebemos, podemos condená-las. Pela via positiva, podemos deliberadamente confrontar a anomalia e procurar criar um novo padrão de realidade no qual ela tenha lugar.[44]

Essa confrontação positiva com aquilo que aparentemente está destoando – o material da sombra – é muito rara em nossa cultura, sendo impossível aos perseguidores, que temem ampliar o padrão de sua realidade além do limite em que possam sentir a aprovação coletiva. Os pais perseguidores são, eles próprios, invariavelmente, os filhos frágeis e magoados de pais exigentes e probos, e não têm mais senso de Self a validar sua totalidade do que seus filhos, bodes expiatórios, poderiam possuir.

O lado sombrio – o material carregado de culpa, impossível de ser suportado pelos pais – é deixado, assim, como uma potente região do ambiente inconsciente. O adulto identificado com o bode expiatório, normalmente, e por natureza, especialmente sensível às tendências ocultas inconscientes e emocionais, com frequência envolvido numa profissão prestativa, foi a criança que absorveu e arcou com a sombra familiar. Normalmente, existe um vínculo inconsciente, particularmente forte, com o pai ou a mãe que persegue, por vezes verbalizado como um sentimento de que esse pai ou mãe necessitavam ou desejavam a atenção da criança. Parte desse sentimento pode ser uma projeção da própria carência frustrada da criança, mas parte representa uma percepção objetiva das carências frustradas dos pais. Tais vínculos dificultam as expressões de hostilidade, não apenas em função do perigo de uma retaliação defensiva abrupta, como também em razão da sombra dependente dos pais ter estado e continuar presente, em muitos casos de forma palpável, no adulto/criança. "Eu não poderia agredi-la; ela já estava arrasada, muito... Sou exatamente como ela – uma tirana, falsa, venal e desregrada", disse uma mulher a respeito de sua mãe, verbalizando sua recente consciência das rupturas ocasionadas pelo complexo e do fato de tanto ela como a mãe sofrerem do complexo, embora sob ângulos diferentes.

Esse vínculo também constitui um indício de *participation mystique*, o campo simbiótico no qual o bode expiatório e o perseguidor têm sua existência no nível mágico da consciência. No âmbito deste campo, a contaminação psíquica (ou "identificação projetiva") constitui um fato. Jung escreveu sobre a possibilidade em adquirir-se até mesmo uma má consciência em razão da natureza psicoide do arquétipo.[45] Os indivíduos identificados com o papel de bode expiatório são aqueles que habitualmente adquiriram essa má consciência, perceberam a sombra negada e sentiram-se responsáveis por ela. Tornaram-se hipersensíveis às questões éticas e emocionais, aceitando o papel de pessoas dedicadas, com empatia e atenção, alimentando as qualidades sombrias nos outros.

Por vezes, o bode expiatório é designado para o papel de membro enfermo da família. De modo alternativo, quando os pais também reprimem as necessidades de dependência, os filhos poderão ser encarados como o elemento familiar mais invejado e responsável, cujas necessidades e individualidades são relegadas – e mesmo pilhadas. Em ambos os casos, o indivíduo chega à terapia com a autoimagem de um criminoso, de um inválido, de um pária, de um leproso ou de um ser esquisito. Fundamental nisso tudo é o sentido de isolamento e culpa – uma terrível antecipação de personalidade assentada sobre a condição do rejeitado, do exilado.

Capítulo 5

O COMPLEXO DE BODE EXPIATÓRIO E A ESTRUTURA DO EGO

No campo da psicologia, a satisfação das necessidades está relacionada com a oralidade, enquanto a afirmação voluntária do material emocional formado é associada ao anal.[46] As histórias pessoais deixam claro que os golpes na oralidade não ocorrem, necessariamente, apenas num estágio primordial. Vista simbolicamente como a necessidade de agarrar, de ingerir e possuir, esse conjunto de comportamentos pode sofrer golpes não apenas pelos conflitos e privações relativos à alimentação, recebimento de afeto e atenção referencial adequados, como também por qualquer golpe, ou tabu, contra o egoísmo e a possessividade próprios dessa fase, mesmo se sofrido até, digamos, os 5 ou 7 anos de idade. Essas feridas acarretam um sentimento de privação, bem como um senso existencial de ser indigno de receber. O sentimento de indignidade pode advir, também, da assimilação, por contaminação psíquica, e do sentimento de incapacidade, no adulto, em doar-se física ou emocionalmente. Da mesma forma, qualquer proibição indevida, envolvendo eliminação ou agressão, pode criar uma marca no que tange à autoafirmação.

O complexo de bode expiatório afeta: 1) a percepção e a consciência, ou seja, o modo como o indivíduo percebe e forma a experiência; 2) a habilidade em conter e em suportar o sofrimento; 3) a capacidade de autoafirmação do indivíduo; e 4) a capacidade de satisfazer carências.

Essas quatro modalidades de ação talvez possam ser relacionadas com as fases básicas de desenvolvimento, porém em nível simbólico e não psicossexual. Os indivíduos identificados com bode expiatório possuem diferentes tipos de experiência em cada modalidade, dependendo das combinações entre o complexo e seus próprios talentos e sensibilidades.

DISTORÇÕES DA PERCEPÇÃO

O estabelecimento das bases dos padrões perceptivos dá-se logo ao despertar dos sentidos e por meio de experiências que os estimulem, num ambiente de razoável conforto. Os indivíduos estimulados em excesso por carências parentais, ou especialmente sensíveis por natureza, poderão perceber de maneira intensa tanto a dor como o prazer. No entanto, em razão de essas experiências não terem sido humanamente mediadas, o indivíduo tende a permanecer preso aos níveis de percepção e intensidade mágicos iniciais.

Esses indivíduos podem, facilmente, parecer anormais perante os outros integrantes de seu ambiente. Com grande frequência, são tidos pelos pais perseguidores como perigosos observadores de uma sombra material que é melhor permanecer oculta. Tal como a criança que percebeu que a roupa nova do rei era imaginária, sua visão normalmente penetra através da *persona*, pois está sintonizada com os estratos mais profundos da psique. Em virtude de despertarem um desconforto inconsciente, suas percepções poderão ser desconsideradas ou negadas, enquanto elas próprias são repreendidas e rejeitadas, o que as leva a sentir um incômodo comparável àquele despertado nas pessoas através das quais elas parecem enxergar. Esse quadro pode se dar, também, quando o pai ou a mãe sofrem o medo de serem descobertos. Segundo as palavras de uma paciente:

> Minha mãe evitava o meu olhar ou o seu próprio olhar. Ela até hoje não tolera ser observada por mim, pois pensa que enxergo através dela. Não sei se eu sempre agi assim, mas ela conta que isso começou quando eu ainda era um bebê. Minha existência a ameaçava; forçava-a a enxergar sua própria deficiência.

Aqui, o aspecto terrível do Self (o "olho de Deus") é projetado na criança, temida como portadora de ideais inalcançáveis.

No âmbito do complexo, o Self é encarado como Azazel, o acusador, pela mãe que se sente imperfeita. Essa mãe não pode, dessa forma, suportar uma relação íntima com a criança, pois o olhar desta exacerba a própria vítima, o bode expiatório do próprio adulto. Assim, os complexos dos pais são passados adiante, no mínimo pelas proverbiais sete gerações, e o arquétipo que existe por trás do complexo permanece tanto inconsciente como vigoroso em nossa cultura.

O efeito dessa sensibilidade, aparentemente tão mediada, na criança e na projeção dos pais absorvida por ela, foi expresso de maneira pungente por um indivíduo identificado com o papel de bode expiatório:

> Sinto-me culpado por enxergar o que existe de errado, porque ninguém mais o enxerga. Então, ou fico maluco ou me sinto mal por enxergar alguém como sendo ruim, quando todos dizem que o fulano é bom... É como um castigo ao próprio fato de perceber... Quando garoto, eu perturbava – simplesmente por saber ver e falar – qualquer adulto que eu poderia realmente valorizar caso admitisse sua própria humanidade; que não fosse hipócrita. E eles me repreendiam, odiando-me por eu perceber isso. Ou, então, eles me ignoravam, negando que fosse capaz de tal façanha... Algumas vezes não tenho a menor confiança em minhas percepções.

Ocorre uma confusão semelhante como resultado de um vínculo empático com o pai ou com a mãe abusivos mas também amados. O mal, então, não é percebido com suficiente objetividade, e os indivíduos identificados com o bode expiatório poderão, dessa forma, ter de encarar situações intoleráveis sem estarem preparados, ou como se estivessem protegidos por uma ingenuidade ainda pueril. Podem, inclusive, considerar fascinantes essas situações e serem compelidos a retomar o abuso, na intenção de descobrir o bom pai ou a boa mãe que poderiam, então, ser redimidos. Certo homem expressou esta distorção: "Ele era o meu pai. Ninguém me dizia que ele era terrível quando agredia a nós ou a minha mãe. Ninguém falava comigo, de modo que eu normalmente acho que tudo está bem". Ele se envolvera numa submissão a uma perigosa figura autoritária, que considerava apenas "intrigante" e "parecida com a minha família". Não conseguia enxergar a frivolidade de sua atitude ou a objetiva realidade do perigo, até que um sonho apresentou-lhe uma imagem direta: "Há uma lâmina de barbear mergulhada na geleia da qual estou me servindo. Ela pertence a X".

No âmbito do complexo, a realidade é percebida por meio de uma deformada rigidez, que equipara consciência e julgamento. Tudo o que existe nunca é neutro: será sempre bom ou mau. Assim, com efeito, o reino de Azazel, o lugar para o qual o bode expiatório é enviado, é uma paisagem de ideias e definições mecânicas e ultrassimplificadas acerca de como as coisas deveriam ser – ideias que se assemelham a julgamentos. Estas, por sua vez, são mutáveis como dunas de areia sem a participação do ego, obedecendo quaisquer avaliações coletivas, parciais e negativamente críticas que possam ser feitas de determinada situação. A vitalidade proporcionada por uma visão que descreve e experimenta objetivamente, capaz de enxergar e aceitar o todo, fica perdida.

Dois sonhos, expressando essa realidade observada negativamente, foram trazidos por pacientes. No primeiro, a paciente sonhou que estava num tribunal perante um juiz parecido com seu avô. No sonho, ele usava um monóculo preto, aparentemente fixo ao seu único olho. Na realidade, essa mulher somente conseguia definir-se negativamente, a partir dos ideais que não era capaz de alcançar. A segunda paciente descobrira ter por tarefa apostar uma corrida através do quarto pisando apenas nos quadrados pretos do piso em xadrez. Ela corria o tempo todo e sempre perdia, pois o piso mudava enquanto ela se movimentava.

Essa avaliação centrada no negativo cria uma radical distorção perceptiva. Outra imagem, do sonho de uma mulher, mostra como funciona esse mecanismo: "Estou numa espécie de campo de batalha. Há um arco de luzes, mas as luzes são armas – metralhadoras para atingir algum alvo à minha frente. Estou na linha de fogo". Aqui, a luz da consciência provém da mesma fonte mecânica da destruição. A mulher percebia e criticava a si mesma simultaneamente. Isso a levava a temer sua percepção. Ela tinha medo de enxergar. Tinha medo também da terapia, pois para ela isso significava tomar consciência de "coisas terríveis – o demônio, o lobo e o vento oeste". Procurou diversas vezes abandonar a análise, até que o "terrível juiz" foi conscientemente confrontado, momento em que conseguiu distinguir percepção objetiva de crítica destrutiva. Com o decorrer da análise, ela começou a usar os olhos de sua imaginação e pôde perceber que aqueles três horrores iniciais referiam-se ao seu egoísmo e afirmação demoníacos mas legitimados, à sua imensa e forte vontade de viver e à sua capacidade de se relacionar com o "vento oeste" – com a dimensão espiritual e com sua própria mortalidade e imortalidade. A princípio, porém, essas imagens só podiam ser percebidas negativamente, da perspectiva do julgamento rígido e coletivo e de seu próprio medo.

Outra pessoa, com um grave complexo de bode expiatório rejeitado, aos poucos começou a perceber que seu acusador funcionava internamente e se projetava nos outros. Sua imagem mostra a forma como as avaliações parciais e restritivas a inibiam:

> É como se houvesse um computador com muitas aberturas para apanhar os cartões de circuito impressos. Há sempre um conjunto de ideais a serem alcançados: no trabalho, o gênio brilhante e dedicado; na conversa, um David Niven; na virilidade, um Sean Connery; na música, um Heifetz etc. As aberturas debaixo desses ideais detêm os cartões, avaliando minhas atitudes como inadequadas, débeis, demasiado emocionais e ruins. Nenhum cartão consegue passar, e então escondo minhas reações, a não ser em áreas

em que o computador não possui nenhum modelo, de modo que não preciso me preocupar.

Os ideais perfeccionistas aqui mencionados fazem parte do aspecto acusador do complexo de bode expiatório. Tal como a "Tirania dos 'Ter de'" de Karen Horney,[47] eles representam aqueles modelos tirânicos abstratos, codificados como modelos de comportamento da *persona*, imperativos, no caso, tão alcançáveis quanto o ideal de virtude absoluta de Azazel. Entretanto, é perante eles que toda ação ou atitude pessoal é tida como fracasso; assim, a rejeição persiste e o indivíduo é forçado, cada vez mais, em direção ao isolamento da autorrejeição. Os indivíduos identificados com o arquétipo do bode expiatório têm pouca ou nenhuma confiança na validade de sua própria percepção direta dos fatos, sentimentos, ideias ou palpites. Em vez disso, habituam-se a dar crédito às avaliações coletivas, múltiplas e cambiantes. Enquanto esses ideais perfeccionistas e díspares não são transformados pelo critério de sua pertinência a um indivíduo limitado e completo, os indivíduos identificados com o bode expiatório buscam atender à multiplicidade dos objetivos díspares da *persona*, que normalmente não levam em menor consideração os talentos e capacidades próprios do indivíduo.

Basicamente, parece existir dois deuses e dois sistemas de avaliação. Os indivíduos identificados com o bode expiatório sentem-se julgados segundo os ideais e modelos condenatórios do acusador interno. São, invariavelmente, deploráveis e culpados, identificados com o fracasso, com o sentimento de incômodo e de estarem errados. Entretanto, julgam os demais pelos padrões do salvador e redentor, "compreendendo-os" até o limite do sentimentalismo. Perdoam nos outros exatamente os mesmos pecados e imperfeições que consideram desprezíveis em si próprios. Justiça e Piedade estão separadas. Azazel (e o futuro deus do juízo final) e Cristo, o filho bem-amado de Jeová, governam áreas distintas. Ambos, porém, são inconscientes, o que torna difícil ao ego recompor-se. Ele poderá saltar de um lado para outro, entre os fragmentos perceptivos, sem se dar conta das inconsistências do modelo duplo e, ainda assim, encontrar-se duplamente vinculado a esse.

O modelo duplo constitui uma das raízes tanto da confusão como do ódio masoquista a si próprio, característicos do complexo. Uma paciente expressou assim esse aspecto:

> A única forma que tenho de perceber algum mal é enxergá-lo como sendo eu. Não tenho permissão para enxergá-lo como parte de ninguém mais. Quando percebi o abuso de minha mãe e dei uma resposta à altura, lembro-me de ela ter dito que o abuso era todo meu. E, afinal de contas, eu precisava de uma identidade. Assumi o papel da malvada... Por exemplo, posso facilmente imaginar-me como um carrasco, com todos aqueles sentimentos cruéis. É até um esforço, para mim, perceber que não ajo dessa forma. Mas não suporto ver alguém torturar, ou alguém

machucado. Quando transformo os sentimentos do torturador em ódio de mim mesma, sei que, pelo menos assim, não vou machucar ninguém nem ser punida por descarregar esses sentimentos nos outros. O problema é que não consigo afirmar meu valor, exceto como alguém capaz de todas as atrocidades. E estou o tempo todo confusa, sem saber o que é meu e o que não é.

Ela, ao mesmo tempo que se defendia contra a sua raiva, voltando-a contra si própria, sentia a força compensatória, terrível e grandiosa, de sua identificação com o mal. Essa paciente apresentou um exemplo de confusão perceptiva, típica mas singularmente profunda, ao descrever sua mãe: "Ela era muito rígida. Eu era sempre a desalinhada, a errada e a incompetente. Ela deu o melhor de si, Deus do céu! Sou uma incorrigível". Sua percepção estava associada em dois sistemas distintos de valores. Durante muito tempo, ela não conseguiu se dar conta de que vivenciara uma mulher ambivalente, uma personificação dos aspectos positivos e negativos do arquétipo materno. A mãe era inteiramente boa e ela inteiramente má. O poder destrutivo da mãe era sempre perdoável, mesmo reconhecendo que "a rigidez" a tornava infeliz, sendo um sinal de sua própria "incorrigibilidade".

Essa forma de percepção distorcida deriva das excessivas e automáticas simplificações do julgamento maniqueísta no nível mágico da consciência. Certa mulher descreveu essa ruptura perceptiva como seu "sistema necessário de classificação". Toda experiência era rotulada por ela como sendo boa ou ruim: "ou uma ou outra". Estava de tal modo habituada a essa rigidez que não conseguia descrever ou refletir sobre sua experiência. No momento que a inadequação desse hábito passou a se tornar consciente, ela teve o seguinte sonho: "Estou tentando encontrar o centro exato de um pedaço de papel de tornassol. Uso um ácido prússico, no qual mergulho o papel". Ela fez as seguintes associações com este sonho:

> O papel de tornassol pode revelar se determinada substância é ácida ou alcalina. No sonho, estou concentrada nele, sem me importar com o material que utilizo para dividir as duas metades. É como fazer um julgamento maniqueísta. Mas o ácido prússico é muito perigoso. É um veneno que os nazistas utilizavam nas câmaras de gás; eles dividiam as pessoas entre a direita e a esquerda; para morrer ou trabalhar como escravo.

Sua tendência em fragmentar o instrumento sensorial com uma rigidez fanática e destrutiva era perigoso para ela, mas tal era o seu empenho na precisão dessa divisão entre opostos que precisou do sonho para torná-la consciente desse fato.

Enxergar somente a sombra, ou mesmo identificar-se com ela, constitui uma forma preliminar e polarizada de honrar a integridade numa família que dissocia a própria sombra, identificando-se com o positivo. Aceitando a negatividade, o indivíduo identificado com o bode expiatório garante que esta não seja mais negada por meio de *personae* fraudulentas e de "pensamento positivo". Preso ao complexo da família, o bode expiatório serve à totalidade e à realidade objetiva, ainda que exclusivamente por honrar as partes negativas. É terrível alguém considerar-se uma "escuridão ambulante", como era o caso de um paciente; entretanto, esse papel é desempenhado com passional integridade até o momento em que a aceitação e a totalidade válida do Self possam ser experimentadas por meio de transferência ou projetada em outras imagens do Self na vida do indivíduo.

Quando ambos os lados da polarização são refletidos de volta para a pessoa identificada com o bode expiatório, esta não consegue assimilar, de início, nenhum valor positivo. Existe um bloqueio contra essa assimilação, devido ao antigo hábito da identificação com o culpado, com o incompetente e o rejeitado. É extremamente difícil sacrificar essa "lealdade", mesmo quando existe alguma experiência de qualidades positivas de sombra que poderiam reunir-se num ego fortalecido. Porque também existe a integridade que se recusa a abandonar um aspecto da totalidade – os horrores e as dores válidas da realidade aos quais o bode expiatório foi dedicado pelo coletivo, em sua ânsia de negá-los.

Essa diabólica fragmentação em oposições mutuamente exclusivas reflete-se nas relações pessoais. É claramente perceptível na transferência, nas diversas formas pelas quais o paciente procura uma polaridade com o terapeuta. Por vezes, o paciente vislumbra o terapeuta como inteiramente bom e a si próprio como inteiramente mau. Alimenta-se, dessa forma, a diabólica ilusão de que alguém possa ser inteiramente bom e desprovido de sombra – objetivo que poderia ser alcançado contanto que se encontre o caminho adequado. Essa ilusão mantém o paciente num caminho passivo e solitário. Frequentar as sessões pode tornar-se um vício – como tomar uma dose de alguma droga que sustenta o sonho da satisfação do ego-*persona* alienado e amortece a dor por sentir-se perdido. Isto, porém, deve ser interpretado como uma defesa e encarado como um sonho impossível antes que se possa dar início ao verdadeiro trabalho da análise.

Esse estado polarizado de "idealização primitiva"[48] mostrou-se claramente no desenho de uma mulher, no qual ela e a terapeuta estavam representadas por figuras deitadas na cama. A figura representando a paciente estava acrescida de uma aura negra, enquanto a figura da terapeuta aparecia com uma aura rosada. Havia, também, uma linha até o centro da cama. O desenho deixou claro que a terapeuta era vista sob uma luz positiva demais para permitir qualquer tipo de relacionamento, exceto por meio de um anseio frustrado e da expectativa de salvação ou rejeição. A paciente explicou que "é preciso que eu a veja desta forma, porque você deve libertar-me da minha infelicidade". Seu desejo era permanecer passiva, a fim de aplacar, magicamente, suas carências frustradas de segurança. Estava disposta a assumir a aura negra, a sofrer o desamparo e a depressão, caso a terapeuta encarnasse a figura materna, integralmente bondosa. Estava disposta a carregar todo o negrume para manter essa ilusão.

Nesse caso, um estágio anterior da polarização havia sido retratado num desenho em que os opostos apareciam bastante separados, com dois circuitos representando ela e a terapeuta desenhados com flechas que as afastavam entre si. Num estágio intermediário, a mulher representara a si mesma como um pequenino pingo vermelho no centro de uma flor que, segundo ela, era a terapeuta. A fuga de um relacionamento e o estar contida num símbolo de totalidade semelhante ao ventre materno mudara, portanto, no desenho posterior das figuras na cama, para um reconhecimento da polaridade num relacionamento seguro. Representava um novo estágio no desenvolvimento da consciência.

A típica distorção de percepção afeta a imagem física da pessoa de diversas maneiras. Em geral, ocorre uma idealização de alguma parte da imagem coletivamente aceitável; essa parte torna-se o objetivo e o foco da visão que a pessoa tem do próprio corpo, pois parece residir ali a sua deficiência. "Se eu tivesse um punho mais grosso, seria um homem de verdade." "Se eu não fosse tão gordo, poderia paquerar e ser espontâneo." "Se eu tivesse uma pele bonita, me sentiria totalmente em paz comigo mesma." Marion Woodman analisou as consequências psicológicas desse "vício de perfeição".[49]

As pessoas identificadas com o bode expiatório apegam-se a um atributo particular do próprio corpo enquanto causa ou justificativa de seu sentido de alienação. O pulso fino, a obesidade ou a acne, são sentidos como os únicos atributos negativos que todo mundo percebe e despreza. Tornam-se a contraparte corpórea do bode expiatório. Esse aparente defeito torna-se a vergonha secreta, o motivo para evitar o toque, o foco sensível da crítica negativa. Torna-se o bode expiatório do bode expiatório no nível do corpo. Mas não pode ser eliminado. Nem é possível vencer facilmente a concentração nele existente, pois representa o concomitante físico onipresente do complexo; a racionalização subjacente ao ódio-de-si, que constitui a identidade perceptível do indivíduo.

TRANSFERÊNCIA E CONTRATRANSFERÊNCIA

O hábito de o bode expiatório carregar a sombra implica que o terapeuta deve prestar uma atenção especial aos elementos de sua própria sombra nos momentos em que esta se apresenta na terapia. É necessária uma aceitação consciente, e, muitas vezes, uma expressão verbal por parte do terapeuta, a fim de que este não se envolva no complexo e ofereça um modelo de trabalho responsável com a sombra individual.

Especialmente nos casos em que o paciente se concentra num aspecto isolado de sombra, motivador de uma ou outra espécie de reação emocional, generalizando-o para o todo, o terapeuta terá de apoiar a parte e o todo. Essa atitude permite que as respostas legítimas de medo e raiva do paciente com respeito a uma parte sombria sejam acolhidas por outro alguém que as aceita.

Isso restringe uma negação, ao mesmo tempo que ajuda a solucionar o problema da ruptura que muitos bodes expiatórios tiveram de empreender para sobreviver ao medo, à dor e à raiva extremos. De acordo com as palavras de um analisando, "Quero que você seja superior, e não que fique na defensiva ou que aceite a minha raiva como sendo tudo. Do contrário, se eu mostrar minha raiva serei *mesmo* um desmancha-prazer".

Outra jovem, que considerava inaceitável uma série de aspectos seus, ansiava por uma solução mágica que não implicasse nenhuma espécie de sofrimento. Ao término de uma sessão, fiz uma observação acerca desse anseio num tom que lhe pareceu agressivo. Concordei com ela em que minha observação fosse ofensiva, mas não a retirei. Na sessão seguinte, ela disse:

> Fiquei furiosa com você e não apenas ofendida; mas gostei da forma como lidou com a situação. Você concordou que aquilo era ofensivo, mas também não se sentiu mal com relação a mim. Eu, em seu lugar, teria me sentido diminuída por dizer algo ofensivo. Mas você não se sentiu culpada. Isso me fez sentir que podia lutar e defender a mim mesma sem precisar receber nenhum revide na cara.

O terapeuta, cuja psicologia inclui um forte complexo de bode expiatório, normalmente não consegue distinguir suficientemente suas próprias reações das do paciente e determinar se estas se originam dos elementos projetados pelo paciente ou do complexo do próprio terapeuta. Quando o terapeuta se sente abertamente responsável pelo material sombrio em jogo pode encontrar dificuldade em manter as idealizações positivas necessárias projetadas pelo paciente, podendo, também, achar que os sentimentos e imagens projetados da psicologia do paciente pertençam à própria sombra do analista. O material da sombra poderá não ser reconhecido enquanto elemento do processo do paciente projetado na situação analítica para evocar as rejeições e medos habituais do paciente e garantir a segurança dos padrões antigos, embora dolorosos, de relacionamento.

Essas repetições podem, inclusive, apresentar-se quando o comportamento culposo, agressivo ou exigente do analisando sobrecarrega o terapeuta, funcionando como uma cilada para que este adote o papel do arquetípico, ultrarresponsável e errante bode expiatório. Embora isso possa parecer o oposto do papel parental acusador, o próprio complexo se vê, dessa forma, reconstituído. Nas palavras de uma paciente:

> Você não pode ser um "papa-culpas" que vai pôr tudo em ordem, senão eu vou ter de carregar você e seu valor positivo e me sentir desolada por você não se valorizar. Eu, então, abandonaria meus próprios sentimentos para me preocupar com você, assim como fiz com meus pais. E me tornaria novamente responsável pelos outros e não pelo meu Eu verdadeiro. Isso eu não quero mais.

Esta mulher estava a ponto de perceber seu próprio caráter de "papa-culpas", ao enxergá-lo, em projeção, na terapeuta. Também começava a perceber os limites de sua vontade de ver, na analista, a sua boa mãe. Ela podia começar a desconfiar das dissociações criadas pelo complexo e a resistir a elas.

Inversamente, os terapeutas com muito pouca consciência de sua própria sombra e complexo de bode expiatório poderão inclinar-se a negar seu próprio envolvimento psicológico. Poderão frustrar ou despojar o analisando automaticamente, numa tentativa de despertar a consciência, ignorando a realidade das necessidades do ego-vítima, sem perceber que a frustração, via de regra, tende justamente a despertar a conivência defensiva habitual e singularmente sutil do bode expiatório. Ou, ainda, poderão acusar, de maneira inconsciente, o analisando de sobrecarregá-los, ressentindo-se, então, de um desamparo. Coagidos pelo complexo, que espalha seu contágio no campo analítico, poderão identificar-se com o acusador ou com o ego-vítima.

Outra possibilidade de contratransferência emerge das categorias mutuamente exclusivas do acusador, que avalia a experiência em termos de bem e mal. A tendência do paciente a idealizar o terapeuta, bem como o desejo do terapeuta de curar o paciente, levam a uma constelação do salvador que vai redimir a vítima – o bom pai ou a boa mãe que fará uma reparação, proporcionando a experiência acalentadora, negada ao elemento expulso. Esse aspecto salvador é um elemento muito forte (embora oculto e compensatório) do complexo (ver adiante, capítulo 6). Ao lado do anseio compensatório inconsciente, esse aspecto deve ser aceito e tolerado pelo analista – como todas as transferências projetivas – até que o paciente esteja preparado para crescer além do recipiente proporcionado pela transferência idealizante. O terapeuta deve permitir as projeções sem identificar-se com elas, sabendo que ninguém pode sintonizar em larga escala com a dor do paciente, arcando com uma parcela do seu destino e da sua história. A empatia do terapeuta para com o analisando, possibilitando que esse destino seja encarado objetivamente e suportado até a sintonização com o Self, representa um valor muito mais profundo.

No nível mágico de consciência, o vínculo entre paciente e terapeuta está em constante fluxo. Aqui, as duas partes coexistem num todo simbiótico e sincrônico – uma *participation mystique* urobórica, pré-verbal, ilimitada e atemporal. Pode não importar muito, em última análise, o local onde se localiza o limite psíquico, contanto que o terapeuta possa encontrar uma orientação pessoal no campo arquetípico da imagem-sentimento; contanto que possa perceber o papel que está desempenhando e consiga desidentificar-se dele.

A consciência do caráter mútuo do complexo de bode expiatório pede a atenção do terapeuta para o incômodo padrão em que ele poderá ser parcialmente envolvido. Trabalhar com o complexo e desidentificar-se dele permite a reunião dos componentes psicológicos fragmentários do mesmo. Permite, também, a mudança no relacionamento entre terapeuta e paciente, uma vez que, assim, uma das partes, o terapeuta, fica livre do vínculo-padrão inconsciente, sendo capaz de responder com consciência e interesse. No nível mágico-psicoide de transferência e contratransferência, isso será o bastante para criar o espaço necessário à experiência emocional curativa que o paciente espera da terapia. (Poderá haver uma explicitação verbal em algum momento, porém normalmente isso não é essencial.)

EXPERIÊNCIA DOLOROSA CONTINENTE E DURADOURA

A capacidade de suportar um incômodo parece estar relacionada com a experiência básica do toque; de sermos acolhidos com intimidade e respeito, numa consideração atenciosa, por braços protetores e acolhedores. Essa experiência proporciona à criança um senso de integridade e identidade total do Self. A garantia de estar acolhida numa estrutura coletiva mantém esse senso. A experiência de sermos e de estarmos acolhidos, no sentido literal e simbólico, também permite que o pré-ego aprenda a sofrer e a desfrutar suas experiências num receptáculo forte, permitindo que tais experiências sejam, então, assimiladas nas fases apropriadas.

Se os pais são incapazes de mediar as emoções e frustrações avassaladoras, como a maioria dos perseguidores, ou se aquele que cuida da criança possui um forte tabu contra tocar ou ser tocado – em nível físico ou emocional –, a criança não se sentirá suficientemente segura. Isso pode levar à incerteza quanto à capacidade de o ego corporal resistir à dissociação, fundindo-se ao ambiente ou sendo dominado por forças inconscientes. A criança poderá experimentar, então, rupturas debilitadoras no seu sentido de identidade contínua.

O sentido de perda do toque, e não o sentido de não ter ou de nunca ter recebido um abraço protetor e acolhedor, é fundamental na experiência do indivíduo identificado com o bode expiatório, pois ele se identifica com um exílio e apenas com partes fragmentárias do todo – essencialmente as partes da sombra. Normalmente, ele apresenta um problema relacionado com vinculações e a sentir-se acolhido com segurança, desde as primeiras semanas, em virtude do precário "ajuste" psicológico da figura parental.

Na fenomenologia do complexo de bode expiatório, as forças e a reatividade do indivíduo são sentidas como as causas de sua dor, fazendo-o um espécimen de bode especialmente escolhido para o sacrifício. Chega-se, assim, à curiosa lógica de que toda dor é uma punição; de que toda dor é merecida, pela capacidade de o indivíduo assimilar a sombra projetada. Certa mulher expressou assim esse quadro: "Por eu sofrer, sei que sou ruim. Se não sentisse mágoa, saberia que sou ótima". Na infância, ela se sentira responsável por todo o mau comportamento de seus irmãos mais jovens. Quando se entristecia por alguma acusação injusta, diziam a ela que sua reação era uma evidência da sua culpa. Na idade adulta, continuou equacionando sua dor psicológica a um sentimento de rejeição e inferioridade.

Essa equação cria uma reação contrária ao sentimento e sensibilidade do próprio indivíduo, tanto em função de parecerem ser estas as causas da culpa como também por abrirem caminho a uma parcela maior de dor. Isso significa que nenhuma experiência poderá ser vivida em profundidade e nenhum relacionamento com um Outro exterior poderá desenvolver-se, pois qualquer abertura poderá acarretar mais sofrimento. Dissociação, negação ou impulsividade inconsciente são a regra, sendo impossível um desenvolvimento da consciência do ego quando se tem uma evasão automática da experiência. Verifica-se, com frequência, uma atrofia concomitante de sensações físicas em determinadas regiões do corpo. Poderá ocorrer, também, uma distorção da imagem do corpo, bem como problemas profundamente estratificados, ligados à assimilação e eliminação de alimentos.

Verifica-se, quase invariavelmente, a presença de uma couraça corporal com graus variados de rigidez. Na ausência do abraço materno e coletivo, essa couraça combina-se com a *persona*, mantendo unidas as partes fragmentárias do indivíduo. Será imprescindível, portanto, algum trabalho corporal a fim de restaurar o sentido físico do Self. Em razão de a identidade consciente estar fragmentada e dissociada entre eus parciais ou entre aspectos alternativos do complexo, o indivíduo não consegue recobrar um sentido de totalidade sem recorrer ao Self latente no nível físico da experiência corporal. O toque, a consciência sensorial e as diversas terapias do corpo poderão mitigar a falta da experiência de ser acolhido nos braços de outra pessoa ou por seu próprio receptáculo corporal.

O poder do toque em mobilizar todo o Self corporal, no sentido de processar as partes dissociadas, é notável. Por vezes, o simples pousar de uma mão no braço de alguém pode proporcionar um acesso ao receptáculo corporal. A princípio, porém, um medo quase alérgico de ser tocado, física e emocionalmente – e o consequente encouraçamento – torna difícil ao paciente tolerar esse ato. O encouraçamento dificulta, igualmente, que o indivíduo sinta qualquer emoção, por operar no nível do ego-*persona* alienado. Histórias as mais dolorosas são relatadas com toda a calma, exigindo, portanto, que o terapeuta identifique e arque com o sentimento e, por vezes, dê expressão a ele. O indivíduo identificado com o bode expiatório ergueu um muro protetor a fim de se proteger das dores do material tóxico da sombra. Esse muro serve para isolar o núcleo oculto de mais abusos e vergonha, e também para proteger aos demais do "leproso" ou do "lixo radioativo", conforme expressões de uma paciente. "Esta é a minha natureza básica, de modo que devo manter-me a distância ou manter um escudo de chumbo." A quase totalidade de sua força era empregada para manter esse muro de proteção. Tinha larga experiência do fato de que suas energias "demoníacas" não podiam ser toleradas pela sua família, de modo que ela as guardava para si.

Entretanto, o ego-vítima identifica-se, ao mesmo tempo, com o sofrimento, inflacionado exatamente pelo mesmo sentimento que procura evitar. Tal como a princesa do conto de fadas que conseguia sentir uma azeitona colocada sob dezenas de colchões, todos os golpes são sentidos com extraordinária sensibilidade, porque tocam em feridas antigas e em carne viva. Ocorre, também, uma identificação com a vítima em projeção e, com isso, uma grande capacidade para substituir um sofrimento por outro. Desse modo, o ego-vítima mantém-se ligado a seus próprios sentimentos.[50] Verifica-se uma tendência à identificação automática, quase imediata, com qualquer sofredor em qualquer situação. Essa identificação, entretanto, pode também evocar o medo da dor por parte do próprio ego-vítima e de sua incapacidade em suportar o caos. Assim, o sofrimento de quem quer que seja, até mesmo de um animal, pode levar ao pânico generalizado, à fuga ou à raiva.

Todo esse quadro torna difícil que o indivíduo identificado com o bode expiatório permita a si mesmo aprender a suportar seu próprio desconforto e a avaliar a intensidade deste com um mínimo de objetividade. Há um pressuposto automático de que ele é um incapaz. Desse modo, quando sente qualquer conflito ou ansiedade legítimos, o indivíduo reage com onipotência e impaciência, dedicando-se concretamente a controlá-los – removê-los, desfazê-los, evitá-los ou alojá-los. Certo indivíduo declarou: "Quero ser uma pessoa normal. Isso significa que não devo sentir nenhum sofrimento". Outro, falou:

> Tenho de me livrar de meus sentimentos. Não consigo suportá-los, Não consigo lidar com uma agonia insolúvel; uma agonia à qual eu não possa dar fim.
>
> Na minha família, sentia que sempre estavam me dizendo: "Pode levar" – assim, o sofrimento deles ia embora. E é disso que eu também preciso: alguém para levar esse sofrimento embora.

A capacidade de enfrentar o sofrimento como um fato objetivo da vida é, inicialmente, impossível, pois a pessoa atingida pelo complexo de bode expiatório identifica-se com o sofrimento, inflacionado de maneira sensível e negativa, sentindo-se responsável tanto pela sua existência como pela sua remoção concreta. O ego-vítima opera no nível mágico da consciência, literal e concretamente envolvido pelo objetivo do sentimento ou pensamento. A possibilidade de tomar consciência da dor e de suportar sua presença, por vezes inevitável, sem, todavia, identificar-se com ele, ainda não existe.

Quando se chega, nesse ponto, a um impasse, torna-se terapeuticamente necessário colaborar com as defesas contra a dor e o pânico insuportáveis, até o momento em que o analisando consiga suportá-los com alguma confiança de que o vínculo terapêutico sobreviverá. Foi efetivamente este o caso de uma executiva cujos sonhos mostravam-na assumindo alguma responsabilidade a ser avaliada e suportada. Seu hábito era o de entrar em pânico "como uma colegial que imagina que o céu está desabando", de "dar o fora" (abandonar a terapia) e anestesiar-se com doses cavalares de medicação. Dessa vez, tendo encontrado um médico que conseguiu dar-lhe certo equilíbrio por meio de tranquilizantes, ela prosseguiu a terapia. Aos poucos, foi conseguindo desidentificar-se de seu costumeiro masoquismo defensivo, a "coisa mais secreta e real que conheço: o pavor", permitindo-se experimentar sentimentos difíceis sem esse pânico desolador. Por meio do relacionamento em transferência, começou a descobrir uma realidade diferente e mais estável, bem como uma nova curiosidade, que permitiu-lhe observar com surpresa a rica variedade de suas emoções. Isto, por vezes, fez com que percebesse que tanto o vínculo terapêutico quanto seu próprio ego continente eram capazes de fornecer-lhe apoio. Pôde, desta forma, descobrir uma nova visão de sua identidade, com sua coragem própria, e, em seu devido tempo, libertou-se da medicação.

Durante esse período, sonhou que sua terapeuta aprendera a suportar o tormento da dor recorrente de uma antiga ferida, com a ajuda de um médico de uma linha nova, a holística, que se sentava junto ao leito nessas ocasiões "sabendo, pacientemente o que deveria ser feito porque já fora feito antes, mas sem expulsar os sentimentos com nenhum remédio ou magia". Com essa nova atitude para com o sentimento e a dor, começou a experimentar um sentido de partilha no sofrimento de outrem. Pela primeira vez na vida, ela conseguia sentir-se emocionalmente como parceira numa díade humana – seu primeiro gosto de uma comunidade receptiva e companheira.

O sonho de outra paciente ilustra o mesmo problema, embora sob uma perspectiva diferente, pois esta identificava-se mais com o ego-vítima: “Estou carregando nas costas alguém que está machucado. Não é tão pesado quanto eu esperava. Mas que choque ao perceber que esse alguém sou eu mesma! Estou carregando o meu próprio eu”. Era uma paciente que sentia extrema dificuldade na fase de separação-individuação em sua regressão em terapia. Não conseguia sacrificar facilmente a transferência simbiótica, uma vez que sua experiência pessoal fora a de um exílio radical tão logo começou a andar. Seus pais faleceram num desastre nessa época. Embora tendo recebido atenção física apropriada, sua dor e carência, sua raiva e a conversão de tudo isso em culpa, passaram despercebidos. Esses sentimentos, e suas defesas contra eles, lançaram-na na psicologia do bode expiatório. Ela carregava esses sentimentos esmagadores por trás de sua *persona* competente e alienada, excessivamente responsável o tempo todo, e desligada de seu núcleo sacrificado.

Aprender a lidar com seu eu ferido de uma nova forma foi uma revelação que permitiu a essa mulher sacrificar o apego infantil com o qual sua criança vitimada inconsciente compensava sua altiva alienação. Viu-se capaz de relacionar-se como um indivíduo completo, arcando com suas feridas e respectivas dores pessoais. Conseguiu começar a sacrificar sua exigência de receber uma autoimagem de perfeição por parte da terapeuta e de sua família, à medida que começava a sacrificar sua necessidade de restituição de um paraíso perdido e aceitar o legítimo fardo de sua vida.

Neste ponto da terapia, quando a transferência sobreviveu à repetida compulsão em romper o elo terapêutico, recriando a alienação habitual, é comum o aparecimento de imagens de recipientes de experiências penosas em sonhos ou desenhos. Essa mulher descobriu uma caçamba numinosa de lixo, com a marca de uma rosa. Esta simbolizava o valioso receptáculo capaz de abrigar seu sentimento de inaceitabilidade. Assim, seu ego, agora suficientemente positivo, podia desidentificar-se de seu papel habitual de portador da sombra e atirar no lixo o que a este pertencia. Podia confiar em que o receptáculo terapêutico-materno poderia incumbir-se do lixo.

Outra mulher, num ponto semelhante em sua análise, teve o seguinte sonho:

> Estou numa floresta. De repente, aparece um veado que me leva até uma clareira. Vejo um círculo formado por pedras antigas; o animal começa a escavar o centro do terreno. Faz ali um buraco bem fundo. Talvez ele tenha apenas destapado o que já estivera ali o tempo todo.

Na imaginação ativa, ela procurou descobrir qual seria o destino daquela abertura antiga e sagrada. Em vez de ser um túnel para o outro mundo a ser explorado por ela, viu o veado empurrando, para o buraco, dejetos deixados pelos visitantes. Ao refletir sobre a imagem, percebeu que esta lhe transmitia um sentido de aceitação transpessoal do lixo. Viu-se confrontada, também, com sua atitude de "visitante" que não queria carregar o próprio sofrimento, da mesma forma como seus pais não haviam carregado o deles. A imagem apresentava a ela uma alternativa para essa atitude escapista. Conforme afirmou, "percebi que posso depositar nesse lugar as coisas com as quais não consigo lidar – a rejeição de minha mãe, minhas culpas e a dor pela morte de X".

O surgimento de uma imagem desse gênero estimula a desidentificação com o modelo arquetípico do bode expiatório, uma vez que confirma o sentido individual, recentemente adquirido, de um apoio através e além da transferência. A imagem fornece uma base arquetípica para o recipiente terapêutico, enquanto atmosfera acolhedora e apropriada. Assim, o indivíduo poderá superar sua necessidade de onipotência e aceitar o fato de que a dimensão humana não necessariamente poderá dar conta, sozinha, da dura perversidade do real. O ego se vê aliviado do fardo da sombra coletiva e arquetípica que impede o seu desenvolvimento.

A existência de um recipiente seguro para as experiências dolorosas também permite que a rejeição e a expiação parentais sejam encaradas como autêntico abuso. "Despejaram em cima de mim, injustamente, o lixo todo", declarou um paciente. "Não posso arcar com esse peso. Afinal, pertence também a eles." Depois de um período de raiva e acusações, que contribui para consolidar o novo ego individual (suficientemente positivo, mas capaz de acarretar uma necessária estranheza por parte dos complacentes perseguidores), poderá instalar-se uma aceitação nova, e não artificial, por parte do paciente, daqueles que o rejeitam. Também estes poderão ser encarados como vítimas, lutando contra determinadas forças sem receberem muita ajuda. Essa percepção pode liberar um sentimento poderoso e curativo, bem como um sentido da comunidade, demasiado humana, dos indivíduos.

Há muitas extensões do recipiente transpessoal do mal. Dentre eles está Tlazolteutl, a deusa asteca da maternidade e "devoradora da imundície", que consome os pecados humanos uma vez na vida de cada indivíduo, tal como muitas mães do reino animal ingerem os excrementos dos filhotes para manter o ninho limpo. Temos, também, o sorridente Buda chinês, cujo amplo ventre pode ser friccionado para abrigar o sofrimento humano, sem que isso modifique sua expressão. Temos o uso de carne crua pelo xamã, posteriormente queimada com o intuito de absorver a enfermidade removida dos convalescentes. Na Índia, apenas Shiva pode absorver o veneno mortal produzido depois que os deuses bateram o Oceano Lácteo. Ele o retém na garganta sem absorvê-lo totalmente. Gautama Buda recusou-se a ser um recipiente quando as forças das trevas e do mal confrontaram-no sob a árvore Bodhi. Ele as conquistou por meio da não oposição, colocando-se num plano meditativo não polarizado.

Na tradição cristã, temos Cristo como Agnus Dei, o Cordeiro de Deus, sacrificado para carregar os pecados da humanidade. Há também o ritual da absolvição do pecado, promovido por meio da confissão, pela Igreja, que se coloca como representante de Cristo, tornando-se, ela própria, dessa forma, um recipiente transpessoal. Outras extensões são discutidas por Frazer em seu estudo sobre o bode expiatório.[51]

Normalmente, os sentimentos insuportáveis do paciente identificado com o bode expiatório são captados de maneira intensa pelo terapeuta – seja por empatia ou, mais adiante, por uma identificação projetiva quando as defesas esquizoides do paciente se diluem, permitindo o afluxo da emoção para o receptáculo terapêutico. Os complexos do próprio terapeuta entrarão em ressonância com as sombrias feridas e toxinas – ódio, cobiça e fúria – da psicologia do paciente. O trabalho com indivíduos identificados com o bode expiatório confrontará, portanto, o terapeuta com a necessidade de superar antigas polarizações, de evitar um endurecimento e uma impaciência prematuras e de suportar grandes desconfortos sem revidar. O núcleo esquizoide do terapeuta será inevitavelmente atingido, a fim de prover a possibilidade de consciência. Caso o terapeuta consiga viver os antigos hábitos de seu próprio complexo de bode expiatório sem uma identificação e um mascaramento indevidos, poderá ocorrer uma genuína cura em ambas as partes.

A VÍTIMA ESCOLHIDA

O "escolhido", nas culturas que praticam o sacrifício em seu aspecto mágico, é identificado com a divindade. A vítima serve a um propósito transpessoal de reconciliação, considerado essencial à manutenção da vida e do bem-estar coletivo.[52]

Historicamente, os indivíduos escolhidos para o sacrifício expiatório sempre pareceram aquiescer com seu papel. Normalmente, eles o assumiam de forma voluntária, em nome de um senso profundamente arraigado de *participation mystique* (identidade com o coletivo e com suas necessidades e raízes transpessoais), pois, no nível mágico de consciência, estavam imersos no todo e esperavam continuar vivendo, no sentido coletivo, depois de um sacrifício individual. Ou, então, eram escolhidos com base no pressuposto e na garantia da comunidade em que se submeteriam sem revidar. A submissão passiva parece fazer parte do modelo arquetípico. Encontramos sua expressão moderna nos indivíduos notáveis pela sua lealdade e serviço à família que os rejeitou. Eles não se afirmam a si mesmos abandonando seu papel; identificam-se com ele de forma masoquista, sentindo um ódio e uma rejeição profundos contra si próprios. Aceitam sua inaceitabilidade; arcando com a sombra, prestam um serviço ao coletivo que os exila.

Cristo, um bode expiatório mais consciente, suportou as agonias do conflito entre seu desejo de sobrevivência pessoal e sua aceitação da missão que se sentia destinado a cumprir.

Resistir ao papel sacrificial exige a capacidade de manter-se uma posição consciente, à margem daquela sustentada ritualisticamente pela comunidade. Os indivíduos que chegam a uma terapia, geralmente já foram levados a perceber essa posição;

sofrem por uma discrepância que, de certa forma, impede sua aquiescência voluntária. Neles, o espírito da vida individual foi instigado, por vezes pelo próprio fato de terem sido escolhidos a serem os marginais sobrecarregados e começarem a sofrer por essa condição. Os indivíduos, nesse caso, possuem algum sentido de estarem arcando com um papel estranho à sua própria identidade individual. Nas palavras de um paciente:

> Posso sentir o papel tomando conta de mim. Sei que não sou eu; que é um simples disfarce, mas é o que já estou habituado a ser porque esta é minha única forma de existir – nunca tive outra identidade. Se não agisse como se tudo fosse responsabilidade minha, ou culpa minha, eu seria alguém invisível. Eu precisava de atenção. Agora, quando me sinto inseguro, é inevitável que eu torne a escorregar no conforto de conhecer a mim mesmo da maneira como eles necessitavam de mim, mesmo que agora eu também saiba que este é um papel falso.

Outros, entretanto, identificados unicamente com a vítima imolada, sofrem de um sentido de inadequação à tarefa de encarnar a vítima necessariamente pura do grupo. Também não são capazes de enxergar a si mesmos como os valorizados portadores do material da sombra. Tais indivíduos normalmente preferem abandonar a terapia a encarar a perda dos ideais coletivos (isentos de sombra e puros) aos quais foram condenados. Incapazes de se sentirem sintonizados com o duplo papel de vítima e de portador escolhido da culpa, concordam em ser escolhidos, identificados com o bem ideal e, desse modo, contribuem, inconscientemente, para seu próprio sacrifício.

O mais comum, no indivíduo identificado com o bode expiatório, é um sentido de ser ao mesmo tempo escolhido e vítima. A vítima é percebida como uma identidade com o aspecto sacrificado do complexo, o pré-ego. Existe também, entretanto, como compensação, um sentido de onipotência – um sentido de ser um portador do pecado, designado a carregar a culpa advinda das qualidades coletivas e necessárias da sombra; alguém, portanto, escolhido e singularmente forte. Como no caso de uma jovem mulher, descrita por sua mãe à terapeuta como a causadora de todos os problemas da família, que afirmou: "Fui oferecida em holocausto pela minha mãe a Jeová, porque ela não podia se aguentar sozinha. Mas eu sou mais forte e posso aguentar".

Temos aqui a sugestão do orgulho e do prazer em ser como o bode de Azazel, o Forte de Deus, capaz de suportar um fardo tão pesado. A pessoa se sente segura por ser a "rocha capaz de suster" e carregar a sombra coletiva, semelhante ao Cristo, o Escolhido, aquele que foi selecionado para essa tarefa.

Assumindo automaticamente a identidade do mau, do culpado e do responsável, o indivíduo arca com uma parcela superior à sua própria em qualquer relacionamento. Qualquer elemento que não seja conscientemente assumido pelo outro é tomado e assumido como parte do fardo do bode expiatório. "É óbvio que cabe a mim sentir tudo e levar embora todo o lixo; ninguém mais vai – ou pode – fazer isso", explicou uma mulher que se sentia responsável por manter a harmonia de sua família livre de contendas. Estava discutindo um sonho no qual ela fazia uma trilha, com as mãos, para escoar excrementos escondidos. Outra paciente afirmou: "Fui escolhida para ser a lixeira; sou sempre eu quem carrega os dejetos".

Certo indivíduo teve um sonho – "Sou um banheiro limpo, branco e lustroso de um lavatório público. Um bocado de gente me usa" – mostrando que ele havia perdido sua identidade humana, tornando-se rigidamente invulnerável e puro, a fim de poder "levar embora toda a merda" de seu ambiente. Singularmente inteligente e sensível, ele se habituara a carregar e a aliviar os outros de sua sombra. A longa experiência da infância como bode expiatório da família ensinara-lhe a sentir-se responsável pela maioria dos problemas com que se defrontava nos relacionamentos interpessoais. Isso proporcionava ao seu ego-*persona*, afetivamente frio e alienado, um meio de pertencer ao grupo e de se reconciliar com aqueles cuja sombra ele sentia como sendo sua. Dada sua capacidade de perceber a sombra com tanta presteza, era valorizado especialmente por aqueles que possuíam muito pouca autoestima consciente, mas sombras bastante positivas, pois ele espelhava as forças inconscientes desses indivíduos. Outros tiravam partido dele, dando vazão ao seu sadismo, aliviando-se como se ele fosse um banheiro. Frequentemente, inclusive, ele ouvia as pessoas dizerem o quanto sua simples presença era "providencial". Embora sentindo-se perturbado em seus relacionamentos, confessava: "Quando as pessoas me pedem conforto ou ajuda, significa que confiam em mim e, dessa forma, tenho a sensação de ser querido".

O sentido de ter sido escolhido para carregar o mal e a culpa dos outros torna difícil separar responsabilidade individual e coletiva. Torna difícil evitar uma inflação negativa e distinguir a responsabilidade verdadeira do indivíduo – aquela parcela pequena e real – daquilo que pertence aos outros ou à própria realidade. Essa distinção é essencial e é estimulada pelo inconsciente através de sonhos. Certa mulher sonhou que "descobri que tinha a minha própria sombrinha". Sombrinha significa, literalmente, uma "sombra pequena" – aquele peso individual capaz de protegê-la de tudo o que estiver despencando sobre seu ambiente. Ela deveria começar a portar aquela "sombra pequena"; utilizando-a, em vez de se molhar – de se afogar nos elementos do inconsciente coletivo.

Outra paciente, depois de quatro anos de terapia, começava a distinguir a sombra pessoal da coletiva. Seu sonho: "Vou fazer uma limpeza facial para eliminar cravos. Sinto que eles estão por todo o meu rosto, que estou coberta por eles. Uma médica me informa que eles não são malignos, a não ser os de um determinado grupo". O sonho mostra que, enquanto sua identidade se baseara no pressuposto de que era completamente errada, coberta por terríveis manchas negras e "feia" (o termo que sua mãe usava quando ela se mostrava egoísta ou confiante), a terapia permitia-lhe enxergar as coisas sob outra perspectiva. O necessário era trabalhar apenas com uma pequena parcela de sua sombra pessoal. Seu processo terapêutico forçou-a a crescer para além da habitual ilusão da repulsividade introjetada através do ódio da mãe por si própria. A paciente carregava isso, simbioticamente vinculada à mãe e sempre tão criticada a ponto de não conhecer outra autoimagem. Contudo, sentia-se forte o bastante, enquanto filha, para arcar com o material desdenhado da sombra que sua mãe era incapaz de suportar ou metabolizar. Compreendia a mensagem que a mãe lhe transmitia nos seguintes termos: "Você é suficientemente forte para carregar o lixo todo; preciso de você para odiá-la". Era esta a sua experiência primitiva de um vínculo.

Essa mensagem tão pervertida – de alguém ser necessário por ser inferior, execrável ou repulsivo – é sentida em profundidade por diversas mulheres. Geralmente coube às mulheres, ao lado dos grupos minoritários, arcar com a sombra coletiva da heroica consciência ocidental. Esse vínculo duplo já levou muitas mulheres a explosões histéricas, ao autoanestesiamento e a uma identificação, justificada porém abjeta, com uma *persona* aceitável e com uma autorrepulsa. São poucas as mulheres isentas de um ativo complexo de bode expiatório. Glorificadas por si mesmas e pelo coletivo como as escolhidas, ao mesmo tempo que são igualmente desprezadas como ilícitas, marginais, inferiores e vítimas, constituem, com grande frequência, os receptáculos silenciosos e pacientes das qualidades necessárias, mas depreciadas, da sombra.

PROBLEMAS DE AUTOAFIRMAÇÃO

A afirmação de si, encarada como agressividade, foi culturalmente reprimida na sombra cristã. Os indivíduos identificados como bodes expiatórios aprenderam a ter medo da autoafirmação. Foram ensinados de que isso é um atributo negativo, tendo sido normalmente punidos com severidade ao expressá-lo. Tendem a negar seu instinto autoprotetor de evitar abusos, com o intuito de melhor se adequarem ao papel que lhes foi designado.

A inveja dos pais pela força da criança escolhida, assim como a cruel idealização que solicita, da criança, uma perfeição que atenda aos padrões mágicos do perseguidor, promovem uma ilusão de controle de segurança num mundo difícil. Essas duas poderosas projeções destroem a relação da criança estigmatizada com seus instintos de autoafirmação e dependência. A criança sente um vínculo múltiplo. Vista pelos pais perseguidores como muito forte, pela sua identificação com a sombra temida, a criança desenvolve suas *personae* de maneira precoce, a fim de encobrir e mediar suas projeções. Por outro lado, a criança vê-se incapaz de atingir os ideais do acusador, sentindo-se indigna e infinitamente culpada. A raiva e a carência realistas estão dissociadas. Outros poderão perceber a raiva e a exigência não mediada e oculta, ou se sentirem manipulados, ou, ainda, duplamente presos à fragilidade do ego-vítima e à culpa do ego-*persona* alienado. Porém, o indivíduo que sofre do complexo de bode expiatório não consegue, de início, suportar uma confrontação.

O complexo já se tornou uma identidade pessoal. A afirmação de si e a carência representam simples fontes de mais desalento e culpa, alimentando o ódio do indivíduo contra si próprio.

O instinto de autoafirmação, enquanto defesa corporal da integridade, tem sua ação radicalmente distorcida no adulto identificado com o bode expiatório. Esse instinto frequentemente é tão negado ou dissociado que não consegue atingir a consciência. Como resultado, tem-se apenas controles sádicos ou artificiais, e não uma agressividade consciente e disciplinada. Um paciente descreveu assim sua experiência com essa lesão no instinto:

> Nunca imaginei que o fato de eu não gostar de algo pudesse indicar que isso não fosse bom para mim. Era mau dizer não. E o não gostar dava-me a sensação de ser uma falta minha. O sentimento negativo indicava que algo havia de errado comigo – e não como uma forma de estar vinculado a uma verdade interior. Como se me dessem um cogumelo estragado e eu precisasse comê-lo sem achar ruim. Recusar o que eu detestava era impossível, de modo que eu engolia até aquilo que me fazia mal, transformando todos os meus "nãos" em rancor e ódio contra mim mesmo. Minhas reações instintivas precisavam ficar de fora; sumir. Na verdade, nem sei que reações poderiam ser essas.

Na infância, forçavam-no a ingerir alimentos aos quais ele era alérgico, sendo simplesmente tachado de ingrato e mimado quando tentava recusá-los. Sofria ainda com a violação da integridade de seu organismo pela pouca importância às suas emoções e comportamentos instintivos de autoafirmação e de autoproteção. Vinculava essas emoções e comportamentos a ideais artificiais e culpabilidade.

Os indivíduos identificados com o bode expiatório na infância frequentemente experimentaram agressões não mediadas nas explosões tirânicas e inconscientes da sombra parental. Como testemunhas e/ou focos desse comportamento, conhecem bem o sentimento aterrador, aniquilante mesmo, produzido por ele. Normalmente, não possuem experiência alguma de agressão metabolizada pelos pais, o que lhes permitiria distinguir entre o poder enquanto necessidade do ego e seu mau uso enquanto destrutividade aniquiladora e punitiva. Assim, têm medo de brandi-la, a menos e até que esteja "totalmente limpa". Segundo as palavras de um paciente: "Passo detergente em minhas emoções iradas". Essa necessidade castradora do ego em purificar e desnaturar a autoafirmação, até que esta se expresse por vias passivo-agressivas, com frequência se apresenta em sonhos; por exemplo:

> Escondo o *button* do Women's Lib de minha mulher na máquina de lavar.
>
> Fico tentando limpar a mesa para poder trabalhar. Ela nunca está suficientemente limpa para que eu possa colocar ali os meus papéis, de forma que prossigo limpando.

Quando manifestada abertamente, a agressão assume, de modo geral, a forma de explosões impulsivas contra o terapeuta ou contra outras pessoas. O indivíduo identifica-se com o Azazel perseguidor, condenador, em acusações justificadas contra os outros, contra si mesmo, contra o terapeuta ou contra as insânias gerais do mundo. Aqui, a força propulsora funciona com a sanção dos costumes coletivos, sendo que sua expressão pode proporcionar momentos de alívio da solidão pelo fato de o indivíduo se sentir um marginal. Como no caso de um jovem, temporariamente aliviado de seu sentimento de culpa e rejeição ao defrontar-se com a situação de seu irmão mais jovem, atingido pelo exílio parental semelhante ao que ele experimentara. Ele passou a despejar todo um impulso de vingança e acusar o irmão, sentindo-se repentinamente próximo dos pais, quase aceito e momentaneamente vingado.

Em geral, entretanto, tais expressões de força acusativa irrompem de maneira inconsciente, em explosões de raiva que simplesmente "dão" no indivíduo, deixando um resíduo de remorso e alívio culposo, sem o menor vestígio de responsabilidade pessoal. Há, também, a tendência de acumular-se toda uma série de incômodos, até o momento em que a pressão do sentimento possa irromper por entre eles com uma potência que põe por terra as inibições do superego. Tais rompantes podem, inclusive, tornar-se "picos de adrenalina" viciantes, uma forma de alterar um estado de consciência. Resiste-se, dessa forma, à integração do sentimento, pois sem o rompante não ocorre alívio de tensão.

Também mantém-se a ilusão do êxtase da bem-aventurança primitiva ou "urobórica", pelo qual o indivíduo perseguido anseia no deserto de seu desespero.[53]

A agressão normalmente irrompe racionalizada com uma justificada indignação contra "os fascistas" ou contra as "más condições sociais", aliada a uma necessidade compulsiva de fazer algo para alterar o equilíbrio externo do poder. O acusador, neste caso, é encarado como o redentor. Isso permite a expressão do sentimento. Essa expressão, no entanto, depende do preceito automático do acusador de que a realidade externa e a interna estão cindidas entre o bem e o mal; um bem cuja existência devemos forçar e um mal que devemos combater. O complexo impõe essas polarizações radicais, pois no nível mágico da consciência não existem alternativas para essa divisão exclusiva e simplista. A ambivalência é impossível sem a existência de um ego. Para o indivíduo identificado com o bode expiatório, contudo, essa dissociação contribui para a expressão de uma autoafirmação que, de outro modo, seria repreensível. Enquanto, ainda, do ponto de vista cultural, ela tem a função de liberar a agressividade de uma forma segura contra alguém identificado como inimigo, também encoraja as projeções da sombra. Como o expressou uma mulher que, finalmente, conseguiu verbalizar sua rebeldia contra os pais e os costumes de sua cidade natal:

> Se eu não os desafio e não os tacho de maus, terei de tachar a mim mesma de má, porque não sou como eles; isso eles

> sempre me fazem entender. Mas alguém precisa ser ruim para justificar a raiva.

A menos que haja uma identificação com Azazel, o condenador, por meio dessas investidas coletivas, grandiosas e impulsivas contra aqueles sobre os quais a sombra é projetada, não há a menor possibilidade de os indivíduos identificados com o bode expiatório afirmarem uma força direta.[54] Enquanto integrantes da sombra coletiva, os impulsos agressivos são encarados como um motivo de rejeição. As pessoas identificadas com o complexo mantêm ocultos esses impulsos "doentios" e "maus", num esforço de evitar uma carga ainda maior de rejeição. Theodor Gaster escreve sobre o servo sofredor, ou *pharmakon*,

> aquele perante o qual os homens ocultam sua face... [pois] o Servo é um homem efêmero e, no pensamento antigo e primitivo, a enfermidade implica a possessão por um demônio... "importunado de Deus (i.e., dominado por um demônio) e afligido (i.e., atormentado)". Agora, tais influências demoníacas podem estender-se a outros, por meio de um simples olhar... A pessoa que se encontra em possessão demoníaca tinha de encobrir o rosto para não transmitir aos outros o seu mal... às vezes, também, o disfarce necessário é efetivado numa indumentária.[55]

No indivíduo identificado atualmente como bode expiatório, a necessidade de ocultar aquilo que é tachado como negativo evita que esse elemento se desintegre do Self arcaico, ocasionando certas distorções típicas no uso do poder individual. Ao lado da rebelião e do ressentimento, normalmente inconscientes, da vítima martirizada, e do medo da aceitação ou da liberação desses elementos culturalmente proscritos, tem-se a *persona* da inocência, da virtude e da competência – uma máscara que poderá enganar o juiz acusador. A autoafirmação fica, assim, velada por aquilo que, com grande propriedade, é denominado de sistema do falso-eu, uma vez que esse encobrir deixa uma sensação de incômodo e de falsidade.

Esse velamento leva, também, a uma série de distrações passivo-agressivas – manobras que possibilitam alguma expressão dos impulsos dissociados, expressão, contudo, indireta e normalmente inconsciente. Entre estas, temos o atiçamento; temos a vingança fria e a vingança mágica (ambas derivadas da *lex talionis* primitiva, o dente por dente e o olho por olho); temos a hostilidade inocente; temos o rancor contra o Self e temos a supressão mágica. Temos, ainda, a servidão ao acusador, o autossacrifício e o sentido de destino generalizado e fatalista.

Estou empregando esse espectro de comportamentos enquanto uma tosca ferramenta de diagnóstico, tendo em vista que proporciona um parâmetro do tipo e grau de acesso do indivíduo à autoafirmação. Geralmente, os indivíduos cujos estados predominantes se situam nas categorias finais, apresentam seus impulsos agressivos não apenas dissociados como também voltados contra a autodestrutividade de seu próprio ego-vítima, pois sua identidade é totalmente dependente da capacidade de apaziguar o acusador e o perseguidor. O trabalho terapêutico com esses indivíduos deve desenvolver-se de modo bastante cauteloso. Aqueles que operam nas primeiras categorias tendem a possuir um ego mais fortalecido, uma disposição crescente em conhecer sua ira no continente seguro da terapia, podendo, inclusive, apreciar os sentimentos envolvidos na liberação e no controle de impulsos. Poderão denominar sua satisfação de "vil prazer", como o fez um paciente, mas essa satisfação os move no rumo de uma integração dos sentimentos de autoafirmação, competitivos e triunfantes que tanto necessitam manter uma relação ativa com a consciência.

A primeira modalidade, que denominei de atiçamento, envolve uma expressão velada, e portanto segura, da ira do indivíduo. Essa expressão incita o outro, sutilmente, a uma explosão. Por vezes, o atiçamento é, no mínimo, parcialmente consciente. Uma jovem mulher assim o retratou:

> Controlar a emoção é forte e superior. Quando o outro fica louco de raiva, observo e tripudio em seguida. É a tática da cadela. Sou deliberadamente pervertida, mas de um jeito tão frio e virtuoso que leva o outro a se estrangular. Ninguém imagina o quanto estou cheia de ódio.

Essa mulher caminhou pelo espectro, desde uma forma predominante de autoimolação, e estava começando a desfrutar de sua autoafirmação.

Em outros casos, o atiçamento é inconsciente, instância em que a agressão é percebida pelo terapeuta e por outras pessoas como sentimento projetado. A reação defensiva do indivíduo contra isso normalmente é útil para legitimar sua ira. Tal justificativa poderá, então, permitir uma expressão mais direta da emoção que o juiz e perseguidor interno, de outra forma, condenaria. A ação agressiva a serviço de uma causa, que canaliza a necessidade de afirmação do indivíduo, com segurança, para o bode expiatório ou inimigo coletivo, assim como a ação agressiva de autoproteção, representam manifestações fundamentais dessa libertação tão justificável. Atiçar o outro com a intenção de atacar primeiro proporciona às vezes – quando o instinto não se encontra por demais mutilado – ao bode expiatório uma aparente permissão para se defender. A raiva é, então, mascarada de legítima autodefesa. Esse procedimento serve para coalescer o ego-vítima, pois a ira expressada normalmente traz consigo a fúria vingativa contra alguma figura prejudicial no passado do indivíduo, cuja identidade é projetada na pessoa que é atiçada.[56] Contudo, pode tornar-se, também, uma simples descarga, agindo segundo uma compulsão repetitiva e incapaz de encontrar satisfação, até que suas raízes sejam interpretadas.

Outra forma de autoafirmação é a vingança fria, que opera com base na parte persecutória, normalmente inconsciente, do complexo. Ela é percebida por meio da animosidade lançada sobre o relacionamento quando a carência, sobranceiramente negada, não é atendida, ou quando o indivíduo sente mágoa e raiva, mas nega dar-lhes expressão. Pode-se, com isso, pôr fim a uma ligação, "machucando" a parte ofensora e condenando a outra ao exílio. Num determinado ponto do trabalho com um paciente, uma frieza se instaurou nas sessões. Só mais tarde percebemos que esta se devia ao fato de eu não ter enviado ao paciente um cartão-postal durante minhas férias. Nunca houvera pedido algum nesse sentido, mas a solicitação operava num nível mágico, como uma regra que eu devesse conhecer, tendo sido punida por ter traído o que ele considerava a sua confiança. Ele tinha um código moral claro, embora não expresso, e condicional: se ele fosse bom, seria recompensado com tudo aquilo de que necessitava, caso eu fosse uma boa mãe-terapeuta. O não cumprimento da minha parte significava que eu não o julgava bom, negando-lhe afeto como punição, ou que falhara em meu papel. Assim, ele sentia que eu o traíra e, portanto, deveria ser rejeitada em troca, secretamente, contudo, a fim de proteger-se do meu revide. Quando isso tudo se tornou consciente, pudemos perceber seu anseio por um relacionamento adequadamente atencioso, que se ocultava por baixo da fria vingança.

Certa mulher, ao atingir um ponto na terapia em que começou a experimentar a dor, por longo tempo reprimida e rejeitada, de suas privações na infância e de suas carências frustradas de dependência, teve o seguinte sonho:

> Estou num ônibus que não tem rodas e nem anda sobre trilhos. Ele corre por cima da paisagem. O motorista tomou

> a direção do ônibus como uma espécie de missão. Ele é todo-poderoso perante o resto de nós e mostra-nos que tudo é possível, passando por várias cidades. Seu objetivo é chegar a uma antiquada cidade ártica. Ele entra numa rua estreita, onde encontra o homem que procura. Seu objetivo é vingar-se.

O trabalho com o sonho levou essa mulher a perceber o poderoso *animus* que mantinha seu curso pela vida num padrão coletivo, sem chão e conduzido por um sentimento de retribuição a mágoas antigas. O sonho levantou sua rejeição vingativa ao pai, porque este abandonara a família, machucando-a profundamente e levando-a a sentir-se fraca e carente. Mostrava, também, o modo como a mesma atitude ameaçava confinar seus sentimentos e o relacionamento terapêutico, pois estava expondo as velhas feridas, levando-a para o frio território ártico da repressão para acertar contas antigas.[57]

A máscara que envolve a ira desamparada, ao lado do medo e do ódio decorrentes em relação à coletividade governada pelo acusador sádico, combinam-se no sentido de criar uma espécie de inocente hostilidade, uma contrariedade sutil. Uma paciente, a quem eu solicitara que desenhasse uma imagem de seus sonhos, devolveu-me gentilmente o papel em branco no qual fizera alguns rabiscos com um giz branco invisível. Tinha um medo enorme até mesmo de sentir e mais ainda de expressar um "não", exceto quando velado por uma aquiescência. Sua raiva era deflagrada por uma expectativa que ela considerava injusta, mas à qual não podia recusar por medo de ser rejeitada.

Outra modalidade dessa inocente hostilidade consiste no "jogar culpa" – assumir uma atitude de tamanho sofrimento que o outro é compelido a sentir-se culpado pelo sofredor e compensá-lo "por aquilo que você me fez". Esse hábito exige um acordo habitual e tácito, que evita a necessidade de expressão direta dos sentimentos, pois espera-se que ambas as partes obedeçam às mesmas leis coletivas. O quadro foi traçado por uma paciente:

> Vou ser legal com você, para ter a certeza de que você vai ser legal comigo. Se você não for, vou me sentir ofendida e com raiva. Os únicos controles são os sociais, com os quais ambos concordamos. Eu dependo da sua concordância porque não confio no meu instinto ou experiência. Basta apenas que nós dois sejamos obedientes e concordemos juntos em obedecer às regras sociais. As regras que minha mãe me ensinou. Não vou xingá-lo de coisa alguma e nem lhe contarei se estiver com raiva, porque não consigo agir de uma forma agressiva, tamanha é a culpa que sinto. Mesmo quando criança, lembro de me sentir tão culpada que tinha de confessar sempre que tinha sido má. Portanto, se você me machucar, tenho de fazê-lo sentir-se culpado.

Nesses casos, a expressão direta da mágoa ou da ira do indivíduo é inibida pelas regras coletivas introjetadas, integrando, agora, a parte acusadora do complexo. Essas regras podem ser meramente insinuadas, de modo que a lei compartilhada – "não ferirás" – atinge o agressor por dentro, sem que a vítima necessite tomar medidas ativas em seu favor. Quando esse mecanismo não funciona em terapia, o conflito interior pode tornar-se manifesto. Por vezes, quando o terapeuta se limita a afirmar e a reafirmar as queixas sem oferecer a ação recompensatória concreta (uma apologia, por exemplo), a vítima pode ser levada a uma fúria tão pronunciada a ponto de conseguir perceber a irada solicitação existente sob o disfarce do "pobre de mim". Por vezes, contudo, essa autoafirmação acaba sendo cooptada pelo acusador interno, ocasionando uma regressão da vítima no nível do ódio contra si própria e da culpa por queixar-se.

Subjacente a essas veladas manobras de autoafirmação, existe um propósito determinado de afastar uma punição já prevista. Nas palavras de uma jovem paciente:

> Se eu me punir primeiro, os outros não irão fazê-lo – é como colocar a carroça na frente dos bois ou fingir-se de morto para que os inimigos não o perturbem. Tudo o que devo fazer é algo de mesquinho para mim mesma e deixar que o outro se preocupe comigo.

Nos indivíduos identificados com o papel de bode expiatório, incapazes de perceber até mesmo esse grau de raiva, a retaliação opera num nível secreto e mágico. Certo paciente, perturbado com o que sentia ser uma insensibilidade, "atomizou" seus ofensores numa fantasia, conseguindo, com isso, ignorá-los, bem como sua própria sensibilidade ferida. Por meio de um sonho, ele percebeu o que estava fazendo:

> Estou num supermercado. Próximo ao caixa existem prateleiras repletas de bonecos de vodu. Quero um pequenino, que parece uma mulher que foi encolhida. A moça do caixa dá uma prédica exortando a todos a não comprarem nenhum boneco. Ela parece a minha mãe.

O fetiche vodu representa, aqui, a retaliação mágica, pois o indivíduo tinha grande medo de expressar qualquer animosidade diretamente. Sentia-se incapaz de aceitar seu ódio intenso, extenso e arcaico tanto pela terapeuta, imperfeita na sua entrega, como pela sua mãe, rejeitadora e exigente, "porque os deuses castigam os que odeiam a própria mãe, como Orestes". Sua própria raiva o aterrorizava; dizia-se mais tentado a dar por concluída a análise do que confrontar a terapeuta com sua raiva e decepção pela "insensibilidade" dela. Sentia-se, também, incapaz de arcar com a responsabilidade de "machucar uma mulher" e incorrer em mais rejeição, de modo que ele a rejeitaria "primeiro e por fim". Anteriormente, ele havia contido e recolhido seu ódio por meio de posições de contra-ataque – tomando conta da mãe alcoólatra e agora tentando tomar conta da terapeuta – em vez de expressar sua transferência negativa no sentido de encontrar suas dimensões humanas.

Uma mulher que ouvira sua mãe contar sobre suas tentativas de abortá-la e que se sentia profundamente como a ovelha negra da família sonhou com um fetiche vodu de si mesma: "Um homem frio e crítico está enfiando alfinetes em minhas pernas. Dói. Sou uma boneca vodu de mim mesma". Temos aqui revelado o tom rancoroso da autoafirmação masoquista do indivíduo em relação a si próprio. O *animus* destrói, dolorosamente, o próprio ponto de vista emocional da paciente, no momento em que esta se identifica com o hábito da vingança mágica, permitindo que o *animus* a faça voltar sua força contra si própria. Ela se sentira mal-interpretada pela analista na sessão anterior, fato que jamais teria expressado abertamente, a não ser por intermédio do sonho. Eis o seu sonho na noite seguinte: "Encho meus sapatos com água para irritar minha mãe. A água arruína os sapatos". Com respeito ao "irritar", ela afirmou: "Arruíno minha vida para que minha mãe se sinta culpada; para que ela pague". Entretanto, ficou surpresa quando a terapeuta apontou-lhe a agressividade dessa ideia, pois apenas conseguia ver-se como "boa" e "inocente" – nunca agressiva. Ela acreditava que, enquanto fosse prejudicial apenas para consigo mesma, continuaria sendo "boa" – aceitável aos demais e ao seu próprio superego.

Esse tom rancoroso opera segundo o princípio infantil de que: "É bem feito para você quando me machuca".[58] Ou, na expressão de um antigo provérbio alemão: "Minha mãe não me dará luvas para vestir; bem feito se minhas mãos congelarem".

São duas as raízes dessa manifestação distorcida, e por vezes suicida, do poder individual. A primeira é a ausência de distinção entre o ego-vítima e o perseguidor. Ambos se encontram simbioticamente fundidos no nível mágico da consciência. Em virtude da poderosíssima negatividade do perseguidor, a consciência individual não se desintegra do nível corpóreo do Self. Assim, qualquer autoafirmação contra a autoridade do demoníaco Azazel ou da figura parental externa, envolve, também, a atitude de magoar o ego-vítima e o corpo desqualificado. O indigno "eu" é, também, o corpo indigno do qual é necessário livrar-se. "Vou fazer jejum, tornar-me um fragmento e, então, livrar-me do sentimento de ser anormal", afirmou uma paciente que sofria de anorexia. Essa mesma mulher fantasiava cortar fora o dedo indicador direito como um compromisso com uma vida nova, livre dos imperativos e acusações que a controlavam com rigidez, uma forma de livrar-se do "terrível dedo de deus". (Lembremos que Orestes corta fora seu dedo, numa tentativa de apaziguar as Erínias, indutoras de culpa.) Trata-se de uma atitude paralela a um profundo sentimento de indignidade. Nas palavras de uma paciente: "Sou um paria: prô diabo comigo!".

Para esses indivíduos, que misturam autodestruição com autoafirmação rancorosa, e que perderam seu instinto de autoproteção, é de vital importância, logo no início da terapia, procurar objetivar o sádico acusador como um "Tu", permitindo uma confrontação simbólica tanto por parte do terapeuta como pelo paciente, aliados contra sua ação. Do contrário, a autoafirmação pode tomar a forma de atos impulsivos de autopunição, resultantes de um sadismo voltado contra o corpo. Tais atos, porém, podem ser também o resultado de um início de autoafirmação contra Azazel, embora ainda não desidentificada o suficiente dele.

A segunda raiz da autoafirmação autopunitiva visa, em sua forma habitual e original, a preservação da vida, quando o rancor foi o modo de sobrevivência encontrado pela criança. A agressão volta-se tanto contra aquele que rejeita como contra as próprias carências e mágoas do indivíduo. Porém, atrás dos dentes cerrados do desafio, existe um clamor de vida. O rancor oculta as dores da alienação e da ausência de alguém que supra as carências de dependência. Para a criança, seu uso significou a possibilidade de sobrevivência de um núcleo de integridade. O rancor e a acusação contra si mesmo guardam esse núcleo de um olhar perscrutador considerado destrutivo. A criança tanto pode ter ocultado um valor precioso como pode ter se recusado a ser alimentada emocionalmente, a fim de não incorrer em reações e respostas dolorosas e venenosas demais para serem suportadas.

Por exemplo, a primeira recordação da paciente anoréxica, acima mencionada, era de seu pai punindo-a, pendurando na grade de seu berço o pirulito que ela tanto queria antes do almoço, deixando-o fora de seu alcance: a sina de Tântalo. Sua única defesa fora aliar-se ao pai punidor a fim de rejeitar seu desejo pelas coisas doces da vida. Ela chegou a manifestar com orgulho sua integridade, negando sua carência de ternura, sentindo-se superior a essas trivialidades. Explicou que assim podia demonstrar maior força e autodisciplina com seu desprezo pelas "fraquezas" dos pais. Uma extensa fase de sua terapia envolveu o uso de sua energia no sentido de obter aquilo que ela deveria reaprender a desejar. Haviam-na ensinado que "você não obtém aquilo que deseja, mas aquilo que Papai Noel lhe dá; portanto, agradeça tudo o que conseguir". Seus próprios desejos tornaram-se uma tortura, de modo que passou a reprimi-los. A repressão e a negação proporcionavam-lhe uma sensação de força e conforto; mas também colocavam a carência e a força em conflito entre si mesma (um padrão permanente, encontrado com frequência na raiz dos distúrbios alimentares). O conflito também opera em transferência, como, por exemplo, quando a paciente pedia alguma sugestão apenas para rejeitá-la. Esse aspecto alimentava seu pânico e ampliava sua carência. A satisfação estava assustadoramente próxima, mas devia ser rejeitada porque poderia envolver, também, a servidão a um doador punitivo.

A servidão a Azazel, como tentativa de conquistar suas graças, envolve, ainda, outra forma de autopunição. Aqui, a agressão encontra-se nas mãos do acusador, sendo que o indivíduo é conivente com Azazel. Essa forma de autoafirmação está isenta da força desafiante do ego. Parece acompanhar um senso de autoimolação, mais difícil de ser trabalhado em terapia. Isso só pode tornar-se aparente em impulsos de autodifamação ou de irrelevantes palavras idealistas, disparadas num acesso de raiva, imediatamente confundidas, de forma masoquista, com as condenações do acusador.

Os sonhos frequentemente ilustram o grau de servidão voluntária. Como neste caso de uma jovem mulher: "Estou numa festa, dançando apenas com um sujeito escuro, parecido com o Sr. X. Procuro agradá-lo, colocando uma maquilagem que me faz sentir uma idiota". Ela associava o Sr. X a um homem já falecido, mas que atormentara seus filhos com modelos perfeccionistas, levando um deles ao suicídio. No sonho, trata-se de, para ela, uma dança da morte, porém, tamanho é seu desejo de aceitação, que é levada a ligar-se exatamente com a pessoa que poderia destruí-la; ela se arruma no sentido de parecer uma boneca agradável, uma *persona* capaz de iludir os outros, mas que torna ridícula a própria dança individual de sua vida.

Em outra ocasião, ela teve o seguinte sonho:

> Estou num escritório trabalhando para meu chefe. Tenho de sair e conseguir crianças de 4 anos de idade. Trago-as em duplas; um menino e uma menina, e as empilho uma por sobre a outra, para que ele possa matá-las. Aquilo me desgosta, mas tenho de fazê-lo; ele é o meu patrão.

Aqui, sua criatividade e independência, que ela associava às crianças e a si mesma quando no jardim de infância, são brutalmente sacrificadas pelo sádico *animus* patronal. Em sua vida exterior, ela trabalhava compulsivamente até o limite da exaustão, procurando merecer as boas graças de um homem que considerava totalmente irresponsável; ela, no entanto, fantasiava que era necessária, valorizada e recompensada por ele, não conseguindo, portanto, livrar-se da servidão. Visava, de forma onipotente, redimi-lo, da mesma forma como procurava redimir seu pai. Muito tempo depois, na terapia, tendo desenvolvido uma transferência positiva, sonhou com sua mãe, fraca e conciliadora, porém crítica como uma bolchevique. Essa imagem permitiu-lhe começar a sentir a possibilidade de encontrar uma força feminina e uma forma resoluta, implacável até, de se manter firme. Passou de uma depressão suicida para uma fria vingança contra a opressão. Até então ela não experimentara nenhum tipo de autoafirmação além da conivência com o ódio e a agressão contra si própria.

A atitude inicial dessa mulher está fortemente relacionada com o alinhamento apático com o acusador do ego-vítima. Seu resultado é um sentido generalizado de condenação. Nesse caso, o ego-vítima alienado é frágil e desenvolvido somente ao mínimo, com pouca capacidade de atuação em absoluto. O indivíduo entra em desespero por não possuir nada além de patologia e negativismo em si, e nada além de penúria e agressão no ambiente externo e interno. Poucas são as razões de viver, sendo típico que tais indivíduos esperem ou planejem morrer jovens. Eles acham que qualquer ação está fadada ao fracasso e, com isso, desistem, com um senso de futilidade do tipo "para que se incomodar?", antes mesmo de começar. Normalmente, eles não encontram uma forma viável de arcar ou de afastar sua mágoa primitiva, associando-a, ainda, a um desamparo abjeto, característico da vítima, e a uma intensa rejeição. Nesses casos, corre-se o sério risco de que a ira vulcânica represada, ao romper o frágil invólucro do ego-*persona* pouco desenvolvido, conduza a uma psicose.

Quando a autoafirmação é mantida de modo tão completo pelo acusador demoníaco, como nessas duas últimas modalidades, o terapeuta talvez necessite emprestar sua própria força ao paciente, a fim de expulsar o demônio de sua vítima. A visualização intensa e silenciosa de sua ação nas sessões de terapia pode ser bastante eficaz, porém o resultado talvez não seja duradouro, uma vez que as energias que prejudicam a vida são as mesmas que são obedecidas, por seu poderio, pelo ego-vítima. Esses indivíduos poderão necessitar de um contato direto com o terapeuta, ou, ao menos, de um ambiente terapêutico de apoio, a fim de construir um relacionamento confiável e apreender os comportamentos com os quais se instrumentalizar – apenas para sentir ainda que um mínimo de eficácia. Nessas ocasiões, e durante a regressão terapêutica, o uso de objetos de transição e de cerimônia pode constituir-se num poderoso apoio ao processo de retorno terapêutico do indivíduo identificado, como bode expiatório, com o desespero, o abandono e a depressão do deserto.[59]

Em todos os casos envolvendo o espectro das manobras passivo-agressivas, uma das principais funções da terapia é a de confirmar a autoafirmação como algo aceitável, necessário e válido. O terapeuta deve, inicialmente, contribuir para tornar esses comportamentos conscientes e, então, reforçá-los, colocando-se contra as proibições demoníacas indiferenciadas que impedem toda autoafirmação direta. O terapeuta também deve estar disposto a ajudar na descoberta das maneiras viáveis de liberação do instinto transpessoal de autoafirmação, tanto no continente terapêutico como fora deste. Isto significa uma disposição de se concentrar, de trazer à tona e suportar as eventuais expressões de ira, pois quase todos os mecanismos acima mencionados serão usados nas fases regressivas da situação de transferência e contratransferência. Aprender a liberar e a controlar a autoafirmação diretamente, no seguro continente terapêutico, constitui um passo essencial no caminho de uma relação consciente do indivíduo com sua própria individualidade.

Por fim, no extremo mais ativo do espectro da autoafirmação, a vingativa *lex talionis* do acusador passa a atuar na forma da ideia primitiva de que "se eu sofro, os outros também devem sofrer". Em algum ponto da terapia, esse postulado, a princípio vingativo e invejosamente destrutivo, deverá ser seriamente considerado. Poderá, assim, tornar-se um questionamento consciente acerca da moral coletiva aceita pelo bode expiatório e que representa a responsável primeira por seu sentimento de exílio. Aqui, numa explosão tipicamente raivosa, a autoafirmação apresenta-se como uma vingança rancorosa e ódio:

> O fardo não é só meu; então, por que os outros não carregam a sua parte? Foi imposto a mim; por que não a eles? O jogo é deles e eu não posso participar. Sinto-me simplesmente inútil. Mas por que tem de ser assim? Que sofram eles, para variar!

Essas emoções carecem de uma aceitação total, pois marcam o início de uma desidentificação dos aspectos alienados e sofredores do complexo, bem como o início de uma autoafirmação individual consciente, ainda que manifestada ao estilo do perseguidor. Em longo prazo, essas emoções suscitam questões relativas a justiça, responsabilidade e apelo individual – "Por que eu?" e "Qual é o meu caminho, independentemente do coletivo?" – questões que não buscam saber apenas "O que fiz de errado?", mas também acabam refletindo sobre o significado do sofrimento do ego no contexto mais amplo da consciência e do Self. Tais questões conduzem aos problemas do destino transpessoal e da responsabilidade e identidade individualizadas. Segundo Jung:

> Independentemente do quanto os pais e os avós possam ter pecado em relação à criança, o homem verdadeiramente adulto aceitará tais pecados como representando sua própria condição, à qual deverá adaptar-se. Somente um tolo se incomoda com a culpa alheia, uma vez que não poderá alterá-la. O sábio aprende apenas com sua própria culpa. Ele pergunta a si próprio: Quem sou eu para merecer tudo

> isso? Para encontrar a resposta a essa pergunta fatal ele deverá olhar para dentro do próprio coração.[60]

Antes, porém, que o indivíduo identificado com o bode expiatório consiga fazer essa pergunta ao seu coração, ele deverá encarar a angústia e a raiva existentes e aprender, com elas, de que modo crescer para além dos sintomas culposos e de autorrejeição torturante que constituem os principais componentes da identidade negativamente inflacionada. Assim – e apenas depois de reivindicar o poder de agir no coletivo de forma agressiva e assertiva em favor das necessidades individuais – a verdadeira submissão à vocação e ao destino individual começa a tomar lugar. A renúncia prematura da autoafirmação mantém a energia instintiva no deserto, dissociada da consciência. Ela não contribui para uma desidentificação do complexo de bode expiatório, mas simplesmente conspira com o acusador.

SATISFAÇÃO DE CARÊNCIAS

No complexo de bode expiatório, o desejo também se vê aviltado, desvalorizado e reprimido. Normalmente, ele se mantém dissociado da consciência, ocultando-se no anseio de aceitação por parte do ego-vítima oculto. O diabólico superego, tal como um primitivo Jeová vitoriano, opõe-se aos prazeres da carne, à satisfação das carências, incluindo as de dependência. Ele as tacha de complacências egoístas, fracas, vergonhosas, cúpidas e inadmissíveis. O ego alienado concorda com essa privação punitiva imbuído de um senso de estoica altivez, ocultando a carência e a dependência dissociadas do ego-vítima. O indivíduo identificado com o bode expiatório deve carregar os impulsos reprimidos da sombra, porém a manifestação destes só pode ser secreta e projetada ou, então, inconsciente e impulsiva. A satisfação da negligenciada carência pessoal é rejeitada com atitudes do gênero: "Tenho ódio a mim mesmo por isso", "Não foi culpa minha; fui coagido a isso", ou diminuída como não tendo "a mínima graça" – todas tentativas de aplacar Azazel e de afastar a culpa por furtar-se à sua automática proibição.

Surge aqui um problema para o terapeuta que serve de porta-voz da realidade, alertando para as consequências da impulsividade. Porque o terapeuta poderá, então, identificar-se de imediato com Azazel, o acusador, enquanto o paciente fica polarizado na vítima desamparada e culpada, incapaz de distinguir a parte do todo – identificado totalmente com a parte sombria do comportamento, no nível mágico da *pars pro toto*. Poderão adotar-se alguns rituais já elaborados de conciliação. Quando certa paciente iniciava suas sessões com protestos do gênero "Me desculpe muito; sei que vai me odiar por isso...", ficava claro que a terapeuta era encarada como o perseguidor a ser apaziguado. Mais perigoso ainda é o problema da evasão e do silêncio, quando o indivíduo antecipa julgamentos negativos e simplesmente nega informações acerca de elementos causadores de culpa. Classificar a realidade, ainda que superficialmente, será contraproducente nesse estágio. Mais útil será a interpretação do impasse, tanto expressando aprovação, visando validar a carência do indivíduo, como refletindo atenciosamente sobre os danos latentes da impulsividade. Tal postura proporciona ao paciente um sentimento de aliança, tirando a força da alienação e da polarização dolorosas existentes na estrutura básica do complexo.

Uma vez que a afirmação declarada a serviço da carência pessoal é a princípio impossível, sendo que em geral (conforme discutimos acima) a força atua contrariamente à carência, a identificação com o complexo necessita de comportamentos que poderiam ser denominados de "gratificações inibidas". Alguns desses comportamentos consistem em solicitações veladas e em solicitações negadas, em exigências mágicas, em satisfação por meio de autopunição e em anestesia de carências. Em todos esses casos, o comportamento em consonância com as proibições do acusador encobre e distorce a expressão direta do impulso dissociado. Uma forma particular de satisfação de carências, característica do complexo de bode expiatório, é o zelo excessivo com os outros – uma satisfação, em projeção, do instinto.

A solicitação velada serve para encobrir a própria carência e dependência do indivíduo com um comportamento coletivamente sancionado. Por vezes, a solicitação é de uma ajuda, socialmente aceita, para os outros ou para uma causa. Nesses casos, o indivíduo sente-se gratificado, ao mesmo tempo, por sentir-se um "bom samaritano" e pela sua identificação com os alvos de sua generosidade. Por vezes, a carência é disfarçada de uma dívida socialmente legítima. "Estou frequentando a terapia; você me deve isso", afirmou uma paciente. Dar presentes pode constituir uma das formas dessa solicitação velada, especialmente quando há uma necessidade oculta de uma recompensa que equilibre a barganha, ou quando esses presentes servem como defesa contra manifestações de ira ou carência. Por vezes, o indivíduo pede a satisfação de carências sob o disfarce da atenção àquele que dele se ocupa. Certo paciente, um jovem rapaz, sempre que queria fechar a janela perguntava-me se eu não sentia frio. Seu acusador interno lhe dizia que seria uma fraqueza de sua parte expressar uma necessidade quando apenas ele se sentia incomodado. Em outro nível, ele deixava implícita minha frieza emocional perante sua necessidade não expressa, sem contar, porém, com suficiente segurança a ponto de arriscar uma solicitação direta.

A solicitação negada é uma mistura de desencorajamento, hostilidade e carência: "Sei que você não vai concordar", disse-me um paciente, "mas, mesmo assim, vou pedir". Normalmente, a expressão é menos explícita; o indivíduo assume a rejeição de maneira antecipada, limitando-se a transmitir sua ira ou a encobrir seu medo de rejeição rejeitando primeiro. Uma jovem paciente, que tentou, em diversas ocasiões, abandonar abruptamente a terapia, ocultava o que considerava uma vergonhosa dependência em relação à terapeuta, rejeitando o processo como um todo. Estava de tal modo identificada com seu ego estoico, orgulhoso e alienado, que sentia que tanto a rejeição quanto a validação de suas carências seriam por demais dolorosas de suportar.

A exigência mágica é perceptível na expectativa do paciente em que o terapeuta supra suas carências, sem que haja qualquer ação explícita, nesse sentido, por parte do paciente. O indivíduo não consegue expressar um desejo específico, pois a questão é generalizada, assumindo a inevitabilidade de uma rejeição total. Certa paciente expressou assim esse quadro: "Só consigo pedir algo quando tenho a certeza de que vou conseguir. Se você me diz 'não', parece uma rejeição total a mim. Eu me coloco inteira em cada pedido". Seu hábito à rejeição era tão forte que ela já a assumia e contava com ela.

No nível mágico, em que a parte é temida pelo todo, o indivíduo se identifica consigo mesmo e rejeita a si próprio em cada solicitação. Aqui, a solicitação explícita parece colocar em risco o solicitante. Em vez da solicitação, o indivíduo fantasia, em segurança e passividade, uma gratificação, ou acha que o terapeuta intuirá suas carências e "será suficientemente sensível para atendê-las", tal como a boa mãe de uma criança. "Não há problema se eu recebo sem pedir; é como uma graça. Do contrário, terei de fazer tudo sozinho, mesmo que não consiga, e isso é muito solitário." Os indivíduos identificados com o bode expiatório são de tal modo sensíveis às nuanças que acarretam rejeição que podem sentir-se profundamente magoados caso o terapeuta não compreenda suas carências sutis – de silêncio, de empatia, "da palavra certa na hora certa" etc. Pode não ser suficiente interpretar cada solicitação simbiótica e mágica, pois isso frequentemente se parece com castigo ou crítica. A empatia terapêutica, espelhando, com sensibilidade, as necessidades do ego-vítima pré-verbal, se faz necessária. Somente então os indivíduos sentem sua dependência valorizada o suficiente para começarem a adquirir alguma confiança em seu mérito pessoal para receber. Eles começam a sentir que não são apenas lixo ou párias.

Observam-se profundas marcas na área de satisfação de carências quando esse hábito ou os que descreveremos a seguir estão em ação. Essa inibição, tão severa, na capacidade de validação da carência, foi expressa por dois pacientes identificados com o bode expiatório:

> Se eu tinha de pedir à minha mãe, significava que eu a estava acusando de mesquinhez, o que me fazia sentir muito culpado.
>
> Quando eu pedia qualquer coisa, minha mãe deixava claro que aquilo era penoso para ela; até mesmo perigoso. Ela era doente e eu só a deixava pior. Minhas necessidades são perigosas, talvez assassinas. Ela morreu.

O pai ou a mãe mesquinhos ou punitivos, introjetados, inspiram o medo ao próprio desejo, aparentemente ruim, devorador e, até mesmo, assassino do indivíduo. Esse medo é compensado por um senso inflacionado do poder do sentimento. Pois quando toda carência é reprimida, esta permanece arcaicamente fundida ao grandioso Self, tornando impossível qualquer distinção entre dependência válida e excessiva. O indivíduo teme ser "exigente como uma criança voraz ou um crocodilo".

A gratificação com a autopunição é exemplificada pela farra gastronômica secreta. Muitos são os casos de mulheres que sofrem de bulimia tomadas por um desejo de ingerir altas quantidades de alimentos não dietéticos, na ausência de qualquer testemunha que pudesse evitar essa forma concreta e primitiva de autossatisfação. Porém, elas comem com tamanha rapidez que não conseguem saborear seu prazer ilícito, sendo que, pelos muitos dias subsequentes, elas se punem através da fome e do ódio contra si mesmas. Duas pacientes com bulimia trouxeram sonhos contendo o motivo da pessoa diabética, relacionado com a sua farra voraz e punitiva. Uma das mulheres explicou simbolicamente seu problema com alimentação por meio da imagem da diabete:

> A diabete é a incapacidade de assimilar tudo o que é doce [na vida] e requer uma dose de insulina. É preciso ser cauteloso com o que se come e também com o medicamento que controla o alimento, caso contrário pode ocorrer um choque. Não há equilíbrio. Eu não tenho equilíbrio, porque não consigo, realmente, sentir nem carência nem satisfação. Ambas me assustam, e ambas estão presentes o tempo todo. Isso deve ser impossível.

Outra paciente com bulimia sonhou com uma criança faminta que ela levava, ocasionalmente, para ser alimentada, devolvendo-a, em seguida, ao seu escuro guarda-louça.

Na extremidade do espectro repressivo temos a anestesia das carências. Nesses casos, a pessoa identifica-se com os imperativos demoníacos do acusador contra a satisfação da carência, dissociando-se a fim de impedir que as mensagens do corpo atinjam a consciência. Fome, sede, necessidade de evacuar, a própria dor, assim como as necessidades emocionais de atenção, de tempo e de outros cuidados são negados tão habitualmente que nem sequer são percebidos. Isso proporciona uma ilusão de altiva autossuficiência a encobrir a dor e a vergonha de nunca ter recebido carinho suficiente. É o equivalente da anorexia emocional.

Determinada paciente encobria sua infelicidade com a virtude do estoicismo. "Como não vou ter, vou me virar; não vou sentir falta. Melhor mesmo é ser um eremita." Ela recordou seu fascínio de infância pelos dançarinos do sol de Mandan, e descreveu o modo como aprendera a se autodisciplinar para não sentir as torturas somáticas e psicológicas. Ela vestia uma máscara intocável de independência que a resguardava. Porém, quando sua anestesia começou a perder o efeito, abrindo suas comportas defensivas, inicialmente por alguns momentos e depois por mais tempo, sentiu a torturante presença das múltiplas agonias e privações não assistidas, que se encontravam dormentes ou represadas. Quando estas começaram a atingir a consciência, promoveram a ruptura de sua identificação com a *persona* alienada, levando-a a cair no "caos dormente do território desconhecido". Assim, ela retornou ao mundo subterrâneo ou desértico, mas dessa vez acompanhada pela terapeuta. Nessas circunstâncias, ela podia falar e sentir sua dor, sua dependência e sua raiva, aprendendo a suportar esses aspectos de sua própria vitalidade.

Uma vez que o indivíduo identificado com o bode expiatório tende a ser vítima de impulsos dissociados e inconscientes, bem como de julgamentos negativos contra a expressão dos impulsos, o eu desamparado poderá agir de formas inimagináveis, até mesmo antissociais, desde furtar aquilo que deseja – abertamente ou por meio de manipulação –, até enredar-se em ligações vampirescas. As paixões, por tanto tempo reprimidas, permanecem concretas; aquilo que é desejado é atacado ou tomado à força. A responsabilidade, em termos da autoridade para tomar consciência de impulsos ou da autoridade para controlá-los, é sustentada por um demônio de tal modo negativo, acusador e perfeccionista, que normalmente não há alternativas para o ciclo da impulsividade do "tudo ou nada" e da culpa – um equivalente psicológico da bulimia.

Um resultado comum da dependência oculta e projetada pode ser um medo crescente, combinado com uma raiva e um ressentimento secretos. O indivíduo sente que os outros se aproveitam dele. Embora isso possa ter fundamento, resultante, inclusive, da excessiva solicitude do bode expiatório, pode consistir, também, numa reação constante nascida do mau uso dos talentos do indivíduo por aqueles que estiveram mais próximos dele na infância. Pode, também, indicar algum anseio, projetado e secreto, por aproveitar-se de outrem, a fim de satisfazer as próprias carências de dependência. Por vezes, em análise, só se toma consciência desse quadro quando o indivíduo considera que o terapeuta está roubando seus dons de percepção, seu material onírico ou mesmo seu dinheiro.

Inicialmente, nos indivíduos identificados com o bode expiatório, a dependência – e, portanto, a exigência – é dissociada. A função exigente reprimida – "eu quero porque quero", na sua forma mais primitiva, arrogante e voraz – funciona como um postulado oculto de que o mundo tem de recompensar o bode expiatório pelo seu serviço como vítima sobrecarregada e sofredora do coletivo. Essa demanda de justiça permanece velada, como uma compensação, por trás do complexo. Compensando o papel de bode expiatório, temos um príncipe ou uma princesa, reprimido(a); alguém escolhido para ser servido pelos outros, merecedor das benesses da vida e resguardado do mal. Percebemos esse aspecto nas fantasias de poder, de satisfação e de redenção. Tal como na vítima passiva e não redimida dos mitos e contos de fadas – Andrômeda acorrentada, a Bela Adormecida, Branca de Neve em seu esquife – evoca-se, aqui, a imagem daquele que simplesmente aguarda pelo resgate, deixando toda autoafirmação a cargo dos outros.

Nos primeiros estágios do trabalho terapêutico, esse elemento pode manifestar-se como uma exigência pueril de que o terapeuta assuma as funções do ego em lugar do paciente. "Você tem de conseguir para mim", ameaçou um jovem paciente, "ou vou ter que me matar." Ele estava diante da necessidade de conseguir um emprego para sustentar-se e percebeu que era incapaz até mesmo de falar ao telefone. Por um lado, sentia-se alguém muito especial e potencialmente importante para realizar um trabalho comum, ao mesmo tempo que temia confrontar-se com seus limites na realidade. Temia, porém, igualmente, passar por qualquer programa de treinamento, de tão inadequado se considerava para executar as mais elementares tarefas. Seu senso de identidade coerente achava-se enfraquecido pela sua identificação, simultânea, com o príncipe e o mendigo. Sofria por uma genuína incapacidade, cabendo à terapeuta honrar sua carência, servindo de modelo de funcionamento do ego na forma de um pai ou mãe atenciosos. Isso pediu o emprego de métodos didáticos por meio de dramatizações. O paciente e a terapeuta desempenharam diferentes papéis, a fim de dramatizar os telefonemas que ele tanto temia, até que, finalmente, foi feita uma primeira chamada durante uma sessão.

Em outros casos, essa necessidade de segurança pode obter uma satisfação concreta, bem como simbiótica; embora ocasionalmente os pacientes possam manifestar seu desejo de serem alimentados ou de um abraço, e estarem longe, na realidade, de poderem receber esse tipo de atenção. Assim, primeiro é necessário trabalhar as defesas contra esse desejo.

Posteriormente, no trabalho terapêutico, o jovem acima mencionado passou a argumentar: "Não vou tomar conta de mim. Quero que alguém o faça em meu lugar". Essa teimosia já representa um avanço, revelando um fluir da libido e o surgimento de uma capacidade de reivindicar assertivamente. O processo pode estacionar por longo tempo nesse ponto, enquanto o indivíduo testa a sua força recém-descoberta e a tolerância do terapeuta, no qual o Self receptivo está projetado.

Num estágio ainda mais avançado do trabalho com esse mesmo paciente, suas exigências apresentaram um contexto diferente, conforme está ilustrado num sonho: "Estou sendo levado de carro por meu irmão. Ele para num posto e finge ser o chefe do estabelecimento a fim de obter um serviço gratuitamente. Não digo nada". O motorista foi associado, pelo paciente, a um homem que acha que deve conseguir tudo que deseja e que solicita muito dos outros. Aqui, é a atitude da sombra quem dirige; é um postulado inconsciente. Ela procura trapacear a fim de evitar a responsabilidade de pagar pelo suprimento de suas necessidades. Ela está inflacionada, fingindo ser o "chefe do estabelecimento"; alguém que deve ser atendido gratuitamente. O ego do sonho não se envolve, mantendo-se como um observador passivo, embora o efeito do sonho tenha sido o de estimular o paciente a assumir a responsabilidade de, agora, ser capaz.

O ego, no processo de cura, deve tornar-se ativo e responsável, até mesmo heroico, na busca de suprir suas carências. Por fim, a régia função exigente do complexo de bode expiatório torna-se o núcleo do reino egoico; o centro capaz de agir com autoridade, iniciativa e responsabilidade, permitindo, dessa forma, uma libertação do domínio acusador de Azazel. Por essa razão, quando, na terapia, aparece abertamente nos pacientes fortemente identificados com o bode expiatório, suas exigências deverão ser bem recebidas e não frustradas automaticamente.[62] Trata-se de um sinal positivo de que o grilhão da negatividade demoníaca e frustrante está sendo afrouxado pelos apetites instintivos. Rompe-se, dessa forma, a antiga *gestalt* do complexo, permitindo as experiências terapêuticas corretivas que, por sua vez, permitem ao ego-vítima adulto ingressar na vida e se desenvolver. O surgimento desses apetites indica que já existe alguma confiança de que as carências possam ser atendidas; em que o mundo não seja apenas frustração causada por normas e malignidade. Dominar essas carências e afetos com aceitação, disciplina e humor é um processo longo e desafiante. Nos indivíduos identificados com o bode expiatório, o humor e a alegria geralmente são fachadas da *persona* alienada ou, então, encontram-se totalmente ausentes. Esses elementos devem ser estimulados a fim de proporcionarem um contrapeso à visão normalmente grave e trágica da vida, permitindo uma autêntica expressão criativa.

As solicitações do pré-ego, o Self-criança oculto, devem ser apoiadas e toleradas pacientemente pelo terapeuta, até que o processo do paciente indique ter chegado ao momento da autodisciplina da voracidade ou da raiva desenfreadas. No caso de uma mulher cheia de persistentes exigências, que fugia e resistia a toda ideia de limite, como se estivesse testando seu próprio valor, foi a imagem de um oficial do exército que lhe apareceu em sonho. O trabalho com essa imagem permitiu-lhe reconhecer o valor positivo da disciplina e da coragem diante da adversidade.

Até aquele momento, ela não fora capaz de distinguir entre carência genuína e voracidade arrogante, pois seu acusador interior confundira ambas na sua experiência, mais ainda do que seus pais. Quando a terapeuta chamava a atenção para a sua voracidade – a própria mulher via-se como "uma menininha muito exigente" e uma "criança tirana" – ou tentava estabelecer limites às excessivas solicitações diárias por tempo e atenção, despertava apenas uma ira incontrolável, ira que a perturbava de tal modo que procurava negar toda e qualquer dependência.

A mente madura e adaptável da paciente, enquanto parceira no vínculo terapêutico, concordava em que suas exigências careciam de limites; entretanto, ela aprendera a associar disciplina com castigo e vergonha. As preferências, tanto da analista como da analisanda, eram frustradas pela psique autônoma imposta pelo seu lento processo orgânico. No decorrer desse processo, a relação da paciente com seu instinto caminhou de um nível mágico e concreto para certa capacidade de percepção e expressão simbólicas; da falta de confiança que alimentava sua atitude de roubar tempo da analista para uma capacidade de manter a imagem constante de uma fonte de gratificação digna de confiança. Só então conseguiu encontrar satisfação num sustento imaginário, enquanto aguardava seu aparecimento concreto e adequado. O desejo furioso marcou o estágio inicial de um processo conhecido em alquimia como *coagulatio* (solidificação ou concretização).[63] Isso deu vida ao surgimento de uma nova imagem do Self, como benevolente e receptivo, digno de confiança no sentido de responder com um interesse generoso, como uma disciplina salutar e adaptável. Isso, por sua vez, forneceu o modelo de um ego motivado, capaz de encontrar equilíbrio entre o régio clamor e a generosidade régia, ambos relacionados, curando-a de sua antiga dissociação entre o autossacrifício masoquista e suas exigências impulsivas e arrogantes.

Contudo, a satisfação, ainda que dos menores desejos, nos indivíduos identificados com o bode expiatório, pode ser de início tão forte a ponto de parecer perigosamente inebriante. Emily Dickinson expressou isso quando escreveu: "Uma gota de felicidade e já me embriago..." O sintoma físico da tontura pode, inclusive, acompanhar a experiência da aceitação e da atenção livre de julgamentos. A satisfação também pode despertar uma gratidão extrema, que parece ameaçar o ego-vítima com um endividamento comparável à escravidão a uma nova fonte de satisfação. O medo dessa escravidão levava certo paciente a regredir para uma tendência a discussões e censuras cada vez que se sentia aceito. Recuando para uma posição de crítica à sombra do acusador, procurava evitar ser dominado pelas forças do inconsciente.

Isso significa que as doses de experiência que contradizem as expectativas criadas pelo complexo devem ser bem pequenas para serem assimiladas. Um paciente particularmente sensível à força irresistível das experiências positivas e da atenção, tinha sonhos com imagens de "moinhos em caracol" ou disparos alérgicos disparados de minuto em minuto. A alternativa era a imagem de um dejeto repentino que ameaçava inundar sua casa toda vez que sentia que a terapeuta "oferecia a dádiva da compreensão" de sua solidão, de sua raiva, de suas carências. Era difícil para ele ver que essas experiências positivas provêm, em última análise, do Self, pois tinha grande dificuldade em se relacionar simbolicamente com a emoção. O ego-*persona* alienado usava suas habilidades intelectuais como defesa. Seu ego-vítima encontrava-se ainda no nível mágico e literalístico. Não conseguia sequer relacionar sentimentos com imagens. A terapeuta tornou-se, assim, equivalente aos pais que o rejeitaram, e por cuja aceitação ele lutava com uma ansiedade que se projetava na terapeuta. A satisfação e o ser devorado misturavam-se, pois ele temia que toda força de seu inconsciente pudesse emergir através de cada experiência não controlada por uma identificação com a vítima condenada, sobrecarregada e forte. Não conseguia passar mais de alguns meses em terapia por vez, sentindo-se mais seguro quando podia ver a terapeuta como incompetente ou no papel do acusador. A transferência positiva representou, por muitos anos, uma ameaça atordoante para ele.

Capítulo 6

A IMAGEM DO BODE EXPIATÓRIO-MESSIAS

É significativo que os dois modelos arquetípicos, o do ser sacrificado, que é também o servo sofredor, desprezado e rejeitado, e o modelo do ser que rege, estejam reunidos na imagem do Messias. Para os indivíduos identificados com o arquétipo do bode expiatório, essa imagem surge, inicialmente, sob a forma simplista de martírio e masoquismo, sem conexão com o aspecto régio.

Assim, certa paciente, rejeitada em favor de um irmão seriamente enfermo, do qual ela fora incumbida de cuidar, aos três anos e meio, explicou que finalmente sentiu-se merecedora do amor de sua mãe deprimida e pertencer à família quando sofreu um acidente que a desfigurou e que a tornou alvo de uma lamentável atenção. Disse ela:

> Antes disso, eu jamais conseguira atender às carências de minha mãe, de forma que ela me odiava. Depois, então, tornei-me a mártir perfeita, a santa, um Cristo – e ele chegou mesmo a arquitetar seu próprio fim, uma grande virtude. Os mansos herdarão a terra; portanto, eu sofro com razão, o que me dá o direito de receber tudo aquilo que recebo; assim, não tenho de me preocupar; jogo tudo para o alto e me sinto virtuosa.

Ela confundia masoquismo tirânico e submissão ao destino, numa justificação mágica de sua inabilidade em desenvolver-se. Seu grau de inaptidão emocional e cognitiva era extremo, embora fosse capaz, apesar disso, de manter um emprego. Ingressou na terapia com a crença mágica de que tudo pode ser remediado. Tal crença era primordialmente voltada para a mãe, a quem ela esperava ainda redimir, a fim de "sentir-me no direito de existir" e, também, afastar "uma dor e um medo terríveis".

Um paciente que fora abandonado, antes de completar dois anos, pela mãe missionária (que foi embora para aprofundar sua formação cristã), sonhou, logo ao início de sua terapia, que era uma criança crucificada. Ele se identificava com sua criança interior, desamparada e mortalmente ferida, vítima de um cristianismo pervertido, e com a exaltação solitária da mesma criança como um Cristo martirizado. Ele assumiu o fardo em seu esquema de vida; considerava-se o elemento enfermo da família, o responsável pelos problemas desta, sendo, em função disso, severamente autopunitivo, ao mesmo tempo que se identificava de forma virtuosa com o acusador.

Ambos os casos equacionam a vítima, o aspecto sacrificial do bode expiatório, com o mártir virtuoso. Isso implica uma rejeição de toda autoafirmação egoica; uma conivência com o perseguidor cristianizado, capaz de transformar o rebanho em ovelhas assépticas, a fim de perpetuar um moralismo escravizante. Isso significa a inflação com uma distorcida imagem de Cristo; como aquele que impede o desenvolvimento efetivo do ego e do potencial de individuação inerente ao arquétipo do Messias quando este é encarado, ao mesmo tempo, como o bode expiatório e o rei.

A possibilidade de uma inflação com o papel do salvador, daquele que leva embora todo pecado como um zeloso sofredor, é outra forma pela qual os indivíduos identificados com o bode expiatório sentem-se, de modo fraudulento, semelhantes a Cristo. Nas palavras de uma paciente:

> Eu sentia todo o sofrimento da família. Meus pais não pareciam incomodar-se muito com a nossa angústia, porque estávamos em constante movimentação. Eu sentia por todos nós. Às vezes, eu desejava que minhas irmãs compartilhassem do sofrimento, para que eu não me sentisse tão sozinha; mas eu sabia que eu era alguém especial.

Para essa mulher, até a percepção de seu fardo excessivo proporcionava-lhe um sentido de valorização, sendo que possuía uma série de relacionamentos unilaterais em que ela procurava ajudar os outros. Dessa forma, podia ocupar-se de sua própria necessidade de dependência em projeção, sem incorrer na censura de seu *animus* negativo e condenatório. "Posso me dedicar a ajudar os outros e trabalhar de modo a não sentir dor", explicou. "Essas atividades permitem, também, que algumas partes minhas ao menos continuem existindo." Ela experimentara a negligência da mãe, sentindo-se responsável pela irmã menor, igualmente rejeitada desde muito cedo. Em razão disso, desenvolveu precocemente estruturas adultas, porém assentadas sobre uma base frágil e insustentável ao extremo. Não conseguira crescer nessas estruturas. Sentia que precisava "correr para um lado, fazer meu trabalho e, depois, correr para o outro, antes que alguém me descubra". Pela sua profunda identificação com o bode expiatório enquanto ente responsável, ela virtualmente abandonara suas próprias reações emocionais. Sentia-se responsável, de forma onipotente, por todos os problemas familiares, não se permitindo deixar o continente familiar para desenvolver seu próprio e considerável talento: "E se alguém se sentir mal, o que eles farão sem mim? Principalmente minha mãe?".

Inicialmente incapaz de reconhecer qualquer ira pessoal ou carência frustrada, essa mulher encontrava seu sentido e valor defensivos desempenhando o papel da salvadora. Não percebia o fato de obter certa gratificação em termos de poder, ao infantilizar aqueles de quem se ocupava, mas começava a perceber que ela, simultaneamente, ansiava e temia ser descoberta como sendo, ela própria, uma criança. Trabalhando nisso, descobriu que assumia os problemas alheios como uma mágica barganha com Deus: se ela atendesse e arcasse com os problemas familiares, os outros, e ela mesma, por uma simbiose primitiva com a família, poderiam viver bem. “Se eu me sacrificar o bastante para cuidar dos outros, também serei cuidada.” Assim, ela assumiu a patologia familiar desempenhando o papel da abnegada “terapeuta da família”: achava que o fato de se preocupar, por certa extensão de tempo, aliviaria sua mãe ou a um irmão de suas dificuldades.[64] À medida que a mãe finalmente passou a assumir alguma responsabilidade pela própria vida, a jovem mulher viu-se aliviada o suficiente dessa sufocante simbiose, a ponto de tornar-se consciente de seu papel de bode expiatório-redentor.

Um sonho apresentou esse papel como uma inflação:

> Estou só na cozinha. Vejo, lá fora, um enorme balão sobre a casa. Está preso a outro balão, grande, em forma de palhaço, como se a função deste fosse a de sustentar o balão redondo. É uma troça com Deus.

A cozinha era o território em que ela desempenhava a função de responsável e serva da família, único papel que achava que cumpria com eficiência. O palhaço ela associou com “gente de vida triste, que disfarça o rosto” e com os palhaços de rodeio que distraem os touros para que não matem os vaqueiros, ou que “ficam na cara dos animais para atiçá-los, porque os conhecem muito bem". Aqui, o balão em forma de palhaço serve como "uma troça com Deus".

O trabalho com esse sonho, ao longo de meses, permitiu que essa mulher percebesse sua procura por intensidades familiares inflamadas, como único canal da alegria de viver, que aliás ela temia, escondendo-se na pele da servil sofredora. Sentia-se por demais nula e desprezível para merecer uma vida própria, e medrosa demais para apreender as habilidades exigidas para esse passo, muito embora fosse de uma competência extraordinária no serviço aos outros. Lentamente, começou a perceber um ressentimento por esse serviço de carregar o mundo nas costas como Cristo, o Bobo de Deus e, ao mesmo tempo, o *Salvator Mundi*. Ela conseguiu perceber, também, que seu sentido de mundo, exclusivamente doloroso, era, em si, um balão para justificar seu papel de responsável pelos outros. Necessitava do poder transpessoal de sua identificação para conferir algum valor a si mesma. Enquanto se sentia secreta e obstinadamente poderosa e importante, desconhecia a maneira de descer à sua finitude ainda tão inepta.

Essa mulher não fora educada para preocupar-se consigo mesma sobre a face da terra, apresentando, portanto, um desenvolvimento extremamente precário. Identificada, também, com o ego-vítima regredido, em sua avassaladora penúria e desamparo, ela ainda estava em busca do salvador todo-perfeição de si mesma. Projetara esse papel de salvador numa variedade de figuras que, invariavelmente, a "traíam" ou "desapontavam", pois parte de sua barganha secreta com Deus rezava que, se ela oferecesse a própria vida pela família, alguém deveria ou iria aparecer para servi-la da mesma forma. Trata-se de uma distorção bastante comum do arquétipo messiânico, que a lançou num misto de esperança cruel, exigências secretas e abjeto desespero. Enquanto esse quadro não fosse confrontado em terapia na qualidade de um sistema coercivo, ela não conseguiria livrar-se de seu mágico papel de responsável pelos outros.

Outra jovem mulher servira de bode expiatório familiar e vítima do complexo de poder da mãe, sentindo-se responsabilizada pela enfermidade do irmão e pelos problemas disciplinares dos outros irmãos. Quando começava a libertar-se da identificação com o bode expiatório, teve um sonho que propiciou-lhe uma nova abordagem da imagem de Cristo apreendida nas escolas dominicais, como o mártir dócil e probo:

> Fico sabendo sobre uma estrangeira que recebeu um pedaço da parte intermediária esquerda do corpo de Jesus, para ser comida depois da crucificação. Isso normalmente era dado para ser comido pelos coveiros.

Aos coveiros, ela associou "aqueles que trabalham durante a noite, porque fazem o trabalho imundo que ninguém quer ver; talvez", disse ela, "eles também sejam ladrões de sepulturas". Eles correspondem ao seu próprio complexo de bode expiatório enquanto pária: aquele que lida, inconscientemente, com o material sujo e sombrio, talvez roubando o que não lhe pertence. A parte de Jesus a ser consumida na comunhão primitiva vem do lado, segundo ela, próximo ao coração e intocado pela lança. É o centro do sentir de Cristo; a parte que pode sofrer as adversidades e, assim, redimi-las.

A reflexão acerca dessas imagens permitiu que a paciente distinguisse entre a moral abstrata e impessoal na qual havia sido educada e uma moral ainda estranha, à qual ela poderia estar ligada de forma emocional e pessoal. A questão para ela, naquele momento, envolvia um problema, relacionado com a sombra, com uma amiga. Ela conseguiu dar-se conta de que a solução exigiria um conjunto de novos valores, não legalistas e não masoquistas de sua parte, além de uma nova forma de assimilar opostos e de dar ouvidos à própria consciência.

Nesse caso, o surgimento do arquétipo do salvador marcou a transição rumo a uma capacidade de integração dos opostos e de transformação. Em outras circunstâncias, esse surgimento pode ser totalmente regressivo. A maneira de interpretar a imagem depende do processo individual, das associações, da estrutura e da mensagem do próprio sonho.

Capítulo 7

DEUSES FEMININOS E ANUAIS

Os indivíduos atingidos pelo complexo de bode expiatório tendem a identificar-se com sua fraqueza e inferioridade. Caem vítimas da sombra coletiva, à qual se oferecem, numa expiação semelhante à de Cristo. Ou, então, identificam-se com o sobrecarregado Servo Sofredor. Desempenham, dessa forma, o papel do "homem-deus morto para levar embora o pecado e o infortúnio das pessoas".[65]

Essa identificação com a vítima sacrificial, com a serva que morre, leva, naturalmente, a uma identificação compensatória com o Rei Salvador renascido. Porém, no complexo de bode expiatório, essa compensação tende a transformar-se numa onipotência dissociada e inconsciente, conforme discutimos acima. Juntos, a vítima sacrificada e o Rei Salvador formam um motivo duplo. Esse motivo já está inerente nos dois bodes e nos dois deuses do ritual hebraico original de expiação.

A imagem arquetípica, nesse caso, é a do deus morto e renascido, originalmente o consorte da abominável e esplendorosa Grande Deusa, que exerce sua soberania nas mitologias dos Vedas, do Oriente Médio, da África e da Europa. Um ser humano ou animal, representando o deus, era escolhido como o consorte e fertilizador da deusa e, então, "morto anualmente com o propósito de manter a vida divina em perpétuo vigor, impermeável ao enfraquecimento que advém com o passar do tempo".[66] Nesses ritos, os seres humanos ou animais, sacralizados e encarnando a força do deus, sofriam a morte e o desmembramento, no intuito de que o ciclo da vida humana e natural (equivalente à Deusa da Terra) se renovasse. O Bode Expiatório, o Deus Sacrificado, o Irmão Gêmeo do Mundo Subterrâneo e do Rei do Ano Velho ou Rei dos Bobos são equiparados às forças da morte, da aridez, da secura, das trevas, do inverno e do mundo subterrâneo. A Criança Divina, o Salvador e o Novo Rei representam as forças da prosperidade, da vida, da saúde, do júbilo, das águas fertilizantes, do sol renovado e da soberania renovada.

Essas imagens do Deus Anual unem os opostos num ciclo abrangente, relacionando o bode expiatório e o redentor ao processo e à autoridade da Grande Deusa da morte e do renascimento. Essa visão, mais ampla e antiga, permite que o elemento feminino, excluído de forma tão patente na imagem hebraica (assim como no moderno complexo de bode expiatório) seja restaurado. O elemento feminino comparece, ali, apenas de forma negativa e subordinada, na menção de que o demoníaco Azazel ensinaria as mulheres a produzir cosméticos e na degradação cultural dos atributos considerados femininos. Porém, como rainha do lugar e encarregada de conferir realeza, a Deusa, pelo Seu próprio mérito, era idolatrada pelos semitas pré-hebraicos. Seus cultos sobreviveram pela Europa pagã e boa parte do mundo. Restituindo-lhe Seu lugar primitivo e mantenedor da vida do modelo de expiação original, temos um contexto apto a incluir as partes dissociadas do complexo de bode expiatório, permitindo sua transformação em aspectos de um todo – reunindo separatividade e, até mesmo, a trágica alienação e a morte, além da possibilidade de comunhão, soberania, renovação e vida.

É fundamental para a mulher moderna a experiência da Grande Deusa ou matriz feminina enquanto totalidade recipiente e apoio à autoridade feminina por trás do *animus* primitivo e dissociado e dos efeitos do complexo de bode expiatório prejudiciais à vida. Uma vez que nem o deus celestial, Jeová, e nem o demonizado Azazel possuem uma ligação positiva com o feminino, essa ligação deverá ser descoberta em terapia. Nesse caso, o elemento feminino é básico para o ambiente acolhedor do receptáculo terapêutico que proporciona a cura do complexo de bode expiatório.

Para uma paciente, essa descoberta se deu enquanto trabalhava com um intrigante sonho:

> Um valentão do tipo carrasco está diante de um garoto de escola que traz uma pequena cruz na camisa. É um encontro violento e, receio, fatal para aquele jovem bem-apessoado. Vejo, subitamente, uma árvore muito verde entre eles, e os dois ficam envolvidos em colher-lhe os frutos.

Não satisfeita em apenas reconhecer as duas figuras de *animus* da sua experiência pessoal, ela desenhou a imagem. A árvore espalhava-se por trás dos dois indivíduos masculinos como que abraçando-os. Observando atentamente a árvore, percebeu nela uma figura de mulher. Fez, então, uma série de desenhos dessa mulher arbórea, descobrindo que, à medida que a figura emergia mais inteiramente, tornava-se grande, saudável e plena de uma exuberante vida – ora dançando, ora sentando-se debaixo da árvore ou em seus galhos. Redescobriu o motivo da Deusa da Árvore e da Deusa da Árvore da Vida, tal como aparece nos antigos lacres cilíndricos. A árvore do sonho original e a figura transpessoal derivada desse sonho – ambos símbolos do Self feminino – possuem frutos suficientes para manter tanto as facetas "boas", com espírito de adaptação e sacrifício da vida, como seus aspectos mais rudes de poder. O trabalho com essas imagens abriu caminho para que essa mulher transpusesse os imperativos e as rupturas do complexo, voltando-se para uma figura feminina com a qual podia se relacionar diretamente. A Deusa do jardim tornou-se parte da vida imaginativa da paciente, sendo que, por meio do trabalho com outros sonhos e imaginações ativas, Ela se transformou, afinal, numa guardiã confiável e transpessoal da criança-vítima perdida de seu mundo interior. A seu tempo, isso permitiu à paciente encontrar um sentido de coerência e fortalecimento pessoal no mundo exterior.

Nos homens identificados com o bode expiatório, o motivo do Deus Anual pode surgir em alguma imagem de confrontação com uma poderosa sombra, ou de Self, normalmente ameaçadora, mortal e positiva. As capacidades e a libido dessa figura devem ser conscientemente assimiladas. Um homem deve aprender a reconhecer o *animus* sádico e acusador da Mãe da Morte, que o mantém identificado com a rejeição, repetindo constantemente o papel do autossacrificador. O ego-vítima enxerga a sombra do "outro rei" como um inimigo horrendo e assustador, por sua força, potencialmente promotora da vida, e suas outras qualidades serem, inicialmente, sentidas como estranhas.

Num caso extremo, determinado paciente viu-se flagrado num "incesto urobórico" com a mãe, bela e destrutiva. Em suas explosões de animosidade, ela o exortava a atender às expectativas de seu *animus*-Azazel, sendo que o paciente, de sua parte, havia introjetado esses padrões impossíveis. Chegou a referir-se a eles, em terapia, como "meus acusadores". Descreveu assim sua luta por aceitação:

> Tamanho é o meu desejo de que gostem de mim, que adoto o jeito de ser dos outros. Sou maleável. Odeio e nego a mim mesmo, seja qual for o significado disso; idolatro todo

aquele que possa me aceitar, mas fico paralisado perto dos outros porque eles de repente podem me rejeitar.

Esse indivíduo alcançara um êxito considerável em sua área de trabalho, mas sentia uma possibilidade de fracasso a qualquer momento. Sofria paralisantes ataques de ansiedade, aos quais ele imaginava como um gigantesco vórtice que descia para engoli-lo. Pouco antes de iniciar a terapia pela terceira vez, teve um sonho ilustrando o tema do Rei Anual em termos do motivo dos irmãos hostis ou do combate do Ramo de Ouro:

> Estou numa festa pública. Sou levado a uma área livre para participar de uma dança. No meio do círculo, está uma mulher num belo vestido esvoaçante. Estou a seu lado. Um homem de músculos de ferro, roupa cinza-metálica e rosto de prata, como um guerreiro futurista, está do outro lado. Ele é a morte. A mulher dança de forma erótica e bela. O vestido é o único elemento colorido do sonho. Fico tão arrebatado que me adianto para tocar-lhe o vestido. Mas, em vez disso, toco o homem. Fico com a respiração suspensa. Todos ficam. Em toda a volta. Na terceira vez, toco o vestido e apanho um pedaço de sua cor na mão. E, então, a Morte está por trás de mim, empurrando-me para baixo, querendo esmagar-me na terra. Preciso começar logo a lutar ou morrerei.

Num nível pessoal ou redutivo, esse sonho é um retrato do complexo da mãe sedutora do paciente que o fascinava e manobrava apenas para lançar contra ele seu sádico *animus* acusador. Atormentado, ele se mantinha preso à Grande Mãe, oscilando entre seu papel de vítima dependente e uma irada onipotência. No sonho, o ego enfraquecido e arrebatado não consegue aproximar-se da hipnótica *anima*. Deverá, primeiro, confrontar-se com o aspecto ameaçador de sua sombra masculina. Essa sombria figura o pressionará no sentido de enfrentar os limites de sua realidade finita. Parecia-lhe uma ameaça de morte, pois só experimentara sua potência em explosões de violência autodestruidora, enquanto temia perder sua identidade de "coitado mas talentoso". Em terapia, porém, começou a perceber essa sua conexão com uma energia demoníaca, capaz de provê-lo de uma força e disciplina masculinas, ao mesmo tempo que aprenderia a lutar com ela.

Nas mulheres identificadas com o bode expiatório, o motivo do Rei Anual pode aparecer no contexto da busca e da redenção do *animus* positivo. Uma paciente apresentou um sonho com esta imagem, durante uma significativa crise de sua vida:

> Estou descendo uma colina, entrando em seguida numa espécie de caverna. É noite e está muito escuro. Na caverna, encontro meu irmão. Sei que é ele, embora se pareça com meu filho quando bebê, radiante e belo. Ele

está recostado numa pilha de folhas de adubo. Estivera perdido por algum tempo e eu fora ao seu encontro. Eu o tomo nos braços e o levo de volta colina acima, para uma casa imensa, onde muita gente, com tochas nas mãos, está à nossa espera.

O sonho sugere a busca de Ísis por Osíris, a descida ao mundo subterrâneo empreendida pela mãe-irmã de Damus e a descida de Ishtar para resgatar Tammuz, seu amante morto. Aqui, o filho-irmão que esteve perdido é encontrado, renovado com fulgor infantil. Ele é agora a Criança crescida a ser restituída ao mundo da consciência pelo ego feminino que sai em sua busca. O aspecto da fertilidade da morte é sugerido pelas folhas de adubo; a vida que morre para enriquecer a colheita do novo campo. As imagens de Perséfone e a recepção com tochas da nova vida, em Elêusis, ecoam nas imagens desse sonho.

Essa paciente estava aprendendo a se autoafirmar perante o Azazel interior, tendo acabado de assumir uma posição decisiva contra seu marido perseguidor. O medo de rejeição da paciente havia sido reinvocado pela sua situação de vida, embora lutasse por encontrar a coragem de proteger sua integridade e criatividade, libertando-se dos percalços da identificação com o bode expiatório. O irmão, segundo ela, fora um filho predileto, um *puer* brilhante e criativo, sendo que o condenatório *animus* interior da paciente havia, até recentemente, deixado explícita sua inferioridade em relação a ele. O sonho, agora, sugeria a possibilidade de uma união dos opostos em sua psicologia, por meio de uma descida ao sombrio mundo feminino onde ela pôde encontrar seu filho-irmão-*animus* redimido e renascido. Em vez de submeter-se ao *animus* acusador, ela lutava por proclamar a força deste, a fim de abraçar seu próprio potencial criativo.

O sonho de outra paciente apresenta o motivo duplo em termos de duas irmãs, ambas esposas de um rei. Elas representam os aspectos aparentemente opostos do feminino com os quais uma mulher que trabalhe seu complexo de bode expiatório vai, inevitavelmente, defrontar-se, numa luta por integrá-los.

> Um guerreiro de cabelos negros lutou para reconquistar seu reinado depois de uma longa ausência. Ele tem duas esposas, que são irmãs. A primeira é escura; a segunda é clara e luta ao lado do rei. Por fim, ele volta para sua primeira esposa. O filho destes deixara a mãe até que o pai regressasse. Quando ele volta para a esposa morena, as fortunas das duas esposas, reunidas, conseguem reconquistar o reino, permitindo a volta do filho.

A paciente identificava-se com a tez loura e o heroísmo da amazona aguerrida, embora sempre se considerasse a ovelha negra da família, tendo adotado uma *persona* de satisfatória competência para encobrir sua identificação com os elementos rejeitados da sombra. O sonho ocorreu no momento em que ela começou a distinguir sua sombra pessoal da coletiva e a assumir a responsabilidade por determinados aspectos de sua própria agressão e sexualidade, antes reprimidos.

Temos aqui duas rainhas, dois aspectos do feminino que deverão colaborar com a atividade do guerreiro a fim de restabelecer um reinado de longa data perdido. No sonho, o *animus* heroico volta para a esposa morena, que o aguardava cuidando do domínio familiar. Ela representava, para a paciente, a ordem estável da vida, bem como os aspectos obscuros do feminino. Ela deverá ser valorizada como detentora de uma fortuna e não negligenciada como "refugo" por uma identificação com os valores rejeitados pela paciente. No sonho, o vínculo inicial do *animus* com a esposa "clara" é análogo à tentativa da paciente em abandonar e reprimir sua feminilidade ctônica e "convencional", com o propósito de parecer forte, brilhante, empreendedora e "aceitável". Agora, o *animus*, a sua própria realeza em potencial, luta por retornar à rainha escura negligenciada. Pois é com esta que está o filho, o potencial da mulher para um desenvolvimento renovado. Esse filho só poderá regressar quando a rainha escura for revalorizada e reconhecida como detentora da vida e da libido necessárias à criação de uma nova ordem.

No caso dessa mulher, a irmã escura estava mais próxima dos modelos convencionalmente aceitos de feminilidade, uma vez que estes haviam sido desqualificados em sua identificação com a amazona guerreira. Porém, são necessárias as "fortunas" reunidas das duas esposas, representando aspectos opostos do feminino, para a obtenção da libido necessária à fundação de um novo poder.

Capítulo 8

A CURA DO COMPLEXO DE BODE EXPIATÓRIO

A cura do complexo de bode expiatório – a desidentificação com ele – envolve um longo processo, no qual cada uma de suas partes requer uma transformação. Alguns dos passos específicos foram sugeridos acima. Essa transformação leva, em última análise, à descoberta da dimensão transpessoal e à validação de uma totalidade individual abrangendo os opostos presentes no complexo. O relacionamento com o Self individual fornece, assim, uma matriz segura, que alivia o indivíduo da necessidade de ligar-se à moral coletiva perfeccionista, que condena e expulsa os que transgridem suas leis.

Esse processo permite ao indivíduo caminhar de um sentido de identidade dissociado e voltado para o acusador – o ego alienado, portador da sombra e encoberto pelas *personae* – e a vítima oculta, rumo a uma totalidade que contém um ego fortalecido, assertivo e anelante, sensível ao inconsciente e às mensagens do consciente. O conhecimento desse novo método de avaliação apoia-se numa abertura para o Self e suas mensagens difíceis e mutáveis – uma habilidade adquirida no processo de trabalho com o complexo.

A sensibilidade e a disposição para assumir o sofrimento já estão presentes na personalidade básica dos indivíduos que tendem a identificar-se com o arquétipo do bode expiatório. A capacidade de suportar e de encarar o sofrimento, além de um estímulo para arriscar-se a mudar e para jogar livremente e sem pudor com as possibilidades, são promovidas, no processo de cura, por meio da transferência e da contratransferência, do contínuo diálogo entre os elementos conscientes e inconscientes, e do encontro das imagens arquetípicas e da experimentação da vida da dinâmica instintiva coexistente entre elas.

Grande parte da fase inicial do processo terapêutico envolve uma aliança entre o analista e o analisando contra o perseguidor. Quando esse elo é forte e o ego-vítima se sente apoiado, pode-se dar início ao trabalho de desmembramento e dissolução das defesas do ego alienado por meio de cautelosas confrontações. Essa análise das defesas é bastante lenta, pois, ao mesmo tempo que oferece, normalmente, um alívio, é também amedrontadora, uma vez que as defesas são experimentadas como a única identidade consciente da pessoa. Quando se chega aos limites dessas defesas, as emoções por elas represadas poderão fluir. Então, à medida que a força, altiva mas incômoda, cai por terra, o ego alienado está experimentando, cruamente, seu exílio, sentindo outra vez as feridas abertas e lamentando-se tanto pela criança quanto pelo adulto onerado pela experiência desse sofrimento. Geralmente, esse processo se dá por meio de uma descida para o ermo ou para o mundo subterrâneo (talvez numa depressão entorpecida), onde a confusão, o desespero, a solidão, o medo e a raiva subliminares são encarados de frente, acarretando um sofrimento que poderá estender-se durante meses. Essa descida não encontra respostas nos antigos níveis do esforço e da vontade; tampouco encontra soluções fáceis ou coletivas.[67]

A experiência é semelhante à de Inana no poste ou à de Cristo na cruz. Por ser orientada pelo Self e acompanhada pelo terapeuta, o analisando pode aprender, gradualmente, a assumir os elementos penosos com sensibilidade e discernimento crescentes. A seu tempo, não será mais preciso defender-se das feridas com uma culpa automática, um esforço automático e uma onipotência por parte da *persona*. Quando o ego-*persona* alienado se sente derrotado, o Self, experimentado como o guia, o apoio e o destino, também poderá ser percebido como uma realidade. Assim, o ego individual, colocado diante dos fatos de sua vida, recebe permissão para encarar suas verdadeiras limitações e riquezas, juntamente com suas forças válidas. Ele recebe permissão para descobrir e criar seu estilo pessoal e para descobrir a voz com a qual expressar sua vivência individual.

A desidentificação em relação ao complexo também ocorre por meio do trabalho paralelo, porém distinto, com o ego--vítima. Essa parte, ainda não desvinculada do Self arcaico, começa a experimentar uma aceitação primal através da transferência, bem como das imagens e sentimentos que emergem das profundezas do inconsciente. Essa aceitação constela uma recriação simbólica ou ritualizada do mundo das Mães, a matriz da vida no Self materno e simbiótico. Isso é descoberto por intermédio da transferência regressiva. Aqui, o ego-vítima oculto e fixo pode ser reencontrado no seu ninho atroz do ódio a si mesmo, e tratado com uma atenciosa empatia – um sentimento que os indivíduos identificados com o bode expiatório muito raramente experimentaram com relação a si próprios.

Por meio da aceitação e da objetividade do terapeuta, além da orientação interior, que transmite informações ao processo psíquico, os complexos parentais negativos podem ser transformados. Isso possibilita que o ego oculto, verdadeiro, se desenvolva. Ele pode aprender a ver e a ser visto com objetividade. Pode aprender que a ação, o desejo e a dor podem ser assumidos e encarados, e não catalogados negativamente antes de serem experimentados. Essa aceitação e objetividade são, em si, psicologicamente nutridoras, proporcionando um recipiente acolhedor, no qual o pré-ego possa aprender a suportar a frustração, a se autoafirmar e a aceitar a dependência e a independência. A existência dessa base transpessoal e transferencial possibilita um crescimento para além do substituto materno sobrecarregado do início – o ego alienado, bem como a mágica onipotência da criança cristalizada. Nas palavras de um paciente:

> Sinto-me em casa. Enraizado na terra. Tenho uma sensação de bondade, força e intensidade passional ligadas a mim, de modo que não sou apenas ruim e culpado. Posso ver-me vivo e inteiro, porque é assim que você me vê – porque você me vê por inteiro e não apenas em fragmentos vis.

Por meio dessa fase nutriente, o indivíduo vitimado descobre experiências e imagens de aliados internos, figuras objetivas, protetoras e dignas de respeito. Essas figuras poderão ser amálgamas de imagens oníricas, a idealizada figura materna da transferência simbiótica ou recordações de pessoas queridas do passado. Essas figuras suplantam a cruel rejeição dos perseguidores originalmente constelados.[68]

Em razão de o ego-vítima ter vivido à margem da experiência, ele se mostra inadaptado e literalmente não educado. Em geral, ele pressiona o terapeuta a funcionar como modelo de comportamentos e atitudes que carecem de integração. O terapeuta, então, poderá sentir-se controlado e usado, exatamente como o pai de uma criança, a fim de que o próprio processo do analisando possa criar aquilo que seja adequado a cada fase em particular do desenvolvimento egoico.

> Se você pudesse sentir raiva de meus pais, talvez eu também me atrevesse a isso.
>
> Se você pudesse desejar que eu exista, eu poderia usar esse seu desejo como um receptáculo ou um abraço. Eu poderia começar a desejar o mesmo.

Essas manifestações representam apelos do ego-vítima no sentido de impor suas necessidades válidas no mundo do genitor arquetípico projetado no ambiente terapêutico.

Em outras ocasiões, o terapeuta é solicitado a suportar as identificações projetivas dos perseguidores que rejeitam o paciente. Nesse caso, o ódio, o desprezo, a culpa e demais toxinas do complexo necessitarão ser metabolizados e interpretados pelo terapeuta, ao mesmo tempo que este aceita o analisando que, por sua vez, se defende do analista enquanto alvo da identificação projetiva. Somente assim é possível que a relativa segurança do receptáculo analítico ofereça um ambiente seguro e acolhedor para que a criança oculta, que odeia a si mesma, retorne à vida e cresça.

Essas experiências permitem que o indivíduo busque a energia da autoafirmação e o desejo em suas fontes transpessoais e promotoras da vida. A raiva pode ser reconhecida como uma experiência objetiva do Self, que se coloca por trás do ego, defendendo a integridade deste. O desejo pode ser reconhecido como baseado num "anseio por repousar e ser alimentado por aquilo que é imperecível".[69] A busca de um porto seguro, tão intensa nos indivíduos identificados com o bode expiatório, pode fundamentar-se não naquilo que existe por trás da primeira infância, mas sim na conexão com o transpessoal e com um novo grupo aparentado, que compartilha da mesma experiência. O porto seguro é criado e descoberto enquanto uma resultante do próprio trabalho e busca individuais. Mesmo a dor pode ser reavaliada aqui, passando a ser encarada como uma parte da vida, elemento concomitante daquela mesma vulnerabilidade que dota o indivíduo de sensibilidade. Quando encarada objetivamente, é mais fácil não nos identificarmos com a dor e, sim, deixá-la chegar e partir, enquanto componente do fluxo da realidade.

À medida que o ego emergente começa a se desidentificar do complexo de bode expiatório e de seus antigos métodos de adaptação, por meio do papel do servo sofredor, pode tornar-se testemunha de uma realidade que é, de fato, em parte negativa. Nenhum grau de culpabilidade ou de expiação poderá alterar esse fato. Sua aceitação permite que se sacrifique a ilusão da criança inocente e perdida de que "se eu for bom o bastante, encontrarei meu lugar e o Éden existirá para mim". Permite que se sacrifiquem as falsas seguranças e a onipotência regidas por Azazel, o acusador, outrora adquiridas pela identificação, seja com o agressor, o culpado, o perfeito, o salvador e o responsável, ou por uma conciliação masoquista. Permite a aceitação consciente do sacrifício de uma experiência do coletivo acolhedor, na intenção de encontrar-se o lugar do indivíduo numa relação dinâmica e individual com uma renovada imagem do Self.

Esse processo, por sua vez, permite o sacrifício das habituais autoidentificações do complexo e uma reavaliação da história pessoal do indivíduo – aprendendo a aceitar os traços das características e do destino pessoais aos quais o indivíduo antes foi condenado pelo perseguidor interno. Ao longo do percurso, há uma série de confrontações com os valores maniqueístas e simplistas do antigo demônio perseguidor, junto com uma luta por encontrar e incorporar valores baseados numa nova consciência – com frequência, representados inicialmente nos sonhos por imagens de criminosos e de outros marginais. Pois, em última análise, o trabalho com o complexo significa sacrificar o modelo superficial de excisão da sombra, que sempre constituiu parte da cultura, aceitando a incumbência de se encontrar uma ordem baseada no contato direto com as imagens redimidas do transpessoal, em que Piedade e Justiça operam conjuntamente. O indivíduo só pode servir a essa dimensão de um modo limitado e pessoal.

Toda essa série de sacrifícios permite uma transformação radical, embora raramente ela seja efetuada por uma opção consciente do ego. Antes, o indivíduo identificado como bode expiatório se vê empurrado às profundezas do inconsciente coletivo para encontrar ali as fontes que criam e insistem no processo de transformação pessoal e aceitar a necessidade perene de contato com essas fontes. Isso porque, enquanto a cura ocorre em níveis diferentes e em graus distintos, o complexo não desapa rece. O indivíduo conseguirá ser apenas um "bode expiatório recuperado". Tal como o alcoólatra recuperado, a pessoa fica eternamente vulnerável aos traços de sua própria psicologia.

Certa paciente, que aprendia a viver empaticamente com as cicatrizes e marcas profundas (que tornam a se abrir sob uma pressão intensa, a ponto de desordenar novas estruturas físicas), descobriu que podia começar a "cavar as minas escuras". Apreendeu a importância de cada descida aos reinos da dor e da sombra e a perguntar sobre seu sentido e sua força. Numa carta, redigida dois anos depois de ter deixado a análise, ela escreveu:

> Percebo que não vivo mais no mundo subterrâneo. Isso, em si, já é extraordinário. Porém, tenho de aceitar que meu destino seja escorregar ocasionalmente para ali e atracar-me com seus demônios até ser libertada. Sei, agora, que existe algo a ser conquistado e um lugar real, na vida, para o qual regressar, e onde possa expressar minhas experiências e ser ouvida. Isso é novidade. E, daqui de cima, sei também que percorremos profundezas que fazem cada pisada ressoar por mundos invisíveis. Que grande responsabilidade, então, é caminhar e vagar, sem me levar tão a sério como antigamente! Mas que terrível bênção é contar com as experiências dessa vastidão e saber que poderei sobreviver a elas e compartilhá-las!

Os indivíduos identificados com o bode expiatório adotaram uma função transpessoal e carregam intensidades transpessoais.

Se devem servir a essa função sem se identificar com sua infelicidade e grandiosidade, necessitarão de outros canais pelos quais as energias liberadas possam fluir. A experiência clínica demonstra que esses canais assumem, basicamente, uma dentre duas formas: expressão criativa por meio de alguma modalidade artística ou a iniciação em alguma espécie de disciplina curativa. Ambos os canais permitem que se trabalhe no limite do coletivo, a fim de se processar as intensidades que a maioria das pessoas não consegue suportar; ambos também permitem que as águas transpessoais fluam segundo os padrões individuais.

O artista usa os canais da tradição artística desenvolvidos pela cultura humana ao longo de milênios. Esses canais, por sua vez, são capazes de conter e expressar toda a gama de intensidades. No âmbito do processo consagrado, usando formas da tradição e das inovações pessoais, o artista pode encontrar e criar formas que transmitam uma visão e uma paixão pessoais. Tais expressões servem ao coletivo no sentido de mediar aquilo de que este necessita e que pode suportar enxergar de si próprio. Mesmo nas formas não declaradamente "artísticas", é possível empregar-se as mesmas energias, visando expressar a intencionalidade criativa do Self em todo e qualquer aspecto da existência.

Os curadores dedicam-se às energias que ferem e curam, ajudando a canalizá-las no sentido de uma libertação do sofrimento dos outros e de si mesmos. São úteis pelo trabalho com os aspectos danificados e enfermos dos indivíduos e do coletivo.

Na medida em que encontram um padrão de totalidade para si mesmos, estando conscientemente ligados às suas fontes pessoais de energia, são capazes de facilitar esse desenvolvimento nos outros. O curador pode assistir ao que se encontra ferido, enquanto ambos aprendem, também, a devoção à fonte da ordem que existe por trás de suas dolorosas marcas e fragmentações. Os curadores também podem atender às feridas reabertas de si mesmos.

Os bodes expiatórios exilados, podem, dessa forma, tornar a servir ao coletivo enquanto agentes de suas carências mais profundas e sérias. Sua função é a de mediar a libido necessária à vida coletiva e individual. Eles representam, entretanto, também uma comunidade para si mesmos. Tal como as personagens do reino da Princesa Determinada (ver adiante, p. 199), formam uma sociedade aberta de inconformistas. Uma sociedade dedicada aos processos transpessoais subjacentes à individualidade e ao coletivo secular. Os indivíduos dessa sociedade não estão atentos à orientação provinda da intersecção entre vida e morte, prazer e dor, amor e mágoa. Possuem certa disposição para sentir sua própria natureza paradoxal e bisonha. Uma vez que lutam continuamente por aceitar essa intersecção em seus próprios corações, podem trabalhar com as inevitáveis projeções da sombra, não como um preâmbulo à perseguição e à dissociação visando o ataque, mas como forma de um crescimento pessoal e de ações éticas duradouras.

AZAZEL, O DEUS-BODE

Inicialmente, os indivíduos identificados com o bode expiatório conseguem enxergar apenas o caráter inaceitável e obscuro das energias potencialmente redentoras. Estas são temidas e desprezadas, pois as pessoas identificadas com a sombra negativa percebem a própria identidade sob o prisma do acusador.

Além de sua própria sombra estar repleta de potencial positivo, não percebem eles grande parte dos elementos vitais existentes nas qualidades negativas com as quais se identificam. Sentem-se estigmatizados, devotos de deuses caídos em desfavor. Carregam, porém, sob forma desqualificada, uma compensação para a parcialidade coletiva. Sentem-se "à vontade no lixo", segundo expressão de uma paciente. Ela sonhara que estava vasculhando um imenso monte de lixo, encontrando diversos objetos de valor. Seus achados surpreendiam-na e a fizeram lembrar-se das esculturas de Picasso criadas a partir de "pedaços e peças que encontrava no lixo". Ela percebeu que o lixo que pensava ser outrora fora rejeitado sem o menor cuidado. Ela, agora, era solicitada a selecioná-lo e a humanizá-lo, a fim de transformá-lo na base de uma nova forma. A nova ordem não significa impulsividade e licenciosidade inconscientes. Significa intencionalidade e improvisação, com responsabilidade pessoal para com o Self, enquanto este orienta de dentro e de fora, fornecendo os valores para cada situação e relacionamento.

Os que se identificam com o bode expiatório não conseguem perceber, inicialmente, os aspectos de valor existentes nos elementos rejeitados, por estarem escravizados ao seu exílio e ansiarem por retornar ao mesmo coletivo que os baniu. Eles servem ao Azazel definido pela tradição ocidental.

É importante, no trabalho terapêutico desses indivíduos, o acompanhamento de seu processo de transformação, até o momento que este revele o significado de Azazel, oculto por trás do demônio desvalorizado e acusador no qual se transformou nos escritos judaico-cristãos. Somente então o fanatismo do acusador poderá transformar-se numa capacidade de serviço apaixonado ao transpessoal, ao mesmo tempo que as energias tachadas negativamente e carregadas com o peso da vergonha – e, por vezes, com o êxtase vulcânico – transformam-se em paixão pela vida.

Em sua origem, Azazel era uma divindade simbolizada e personificada pelo bode, animal vivaz e lépido, que alcança as alturas mas é ligado ao solo, sexualmente potente e possuidor de um forte odor. É um animal ao mesmo tempo combativo e dócil, capaz de habitar regiões inóspitas e de ser domesticado. Como um deus dotado de chifres, o bode é uma imagem da energia criativa primitiva, da força geradora e destrutiva, e do desejo. Como cabrito montês, sua imagem aparece nos primeiros lacres cilíndricos sumérios, ritualisticamente rampante, ao lado da figura da Grande Deusa: a criança e a Mãe. Ali, ele representa as forças instintivas do Grande Ciclo, particularmente aquelas que de algum modo podem ser domadas em benefício do homem.

O bode também era sagrado para um grande número de outras divindades, desde o sumério Enki,[70] passando por Pan, Hermes, Afrodite, Kali, Marduque e Dioniso. Todas essas divindades estão ligadas às profundezas extáticas. Elas impõem, e por vezes medeiam, a impressionante verdade do real, por meio de um encontro passional com estados de ânimo que dominam a alma e que são experimentados como desmembramentos e renovações transpessoais. Esses são os estados aos quais a legislação de Jeová busca ordenar e limitar. Assim, Azazel foi colocado como a divindade do local externo à vida coletiva dos hebreus. Foi demovido do lugar que desfrutava entre os primeiros semitas, para os quais Azazel era o deus-bode, uma divindade particularmente honrada pelos pastores. Era considerado um dos "hirsutos", ou "*seirim*", aos quais eram dedicados sacrifícios apaziguadores.[71] Azazel deve ter sido equivalente, também, a Ninamaskug,[72] sua contraparte suméria, Senhor do Sacro Estábulo das Ovelhas, pastor, curador e "salmista de Enlil". Num antigo ritual babilônico, a enfermidade do indivíduo doente era despejada, ao pôr do sol, sobre a cabeça de um bode dedicado a Ninamaskug, "e o demônio deixava o paciente".[73]

Portanto, Azazel já foi, outrora, um deus da natureza, cornígero e pastor;[74] um demônio da fertilidade; um curador; uma expressão do processo criativo na arte e o consorte da Grande Deusa, alternando, em seu ofício, com o deus lavrador.

Todos esses aspectos do deus-bode foram perdidos para a cultura judaico-cristã, embora se tenham mantido nas tradições folclóricas pagãs. Na corrente cultural dominante do Ocidente, o bode é identificado com Satã e com as energias demoníacas de Azazel, o acusador. Garantiu-se, dessa forma, a repressão das qualidades rejeitadas pelo coletivo. O próprio deus-bode foi colocado em oposição às mesmas forças de vida originalmente mediadas por ele para a vida coletiva. Como demônio e punidor, sua imagem tinha a propriedade de afastar os que o perseguiriam.

Nos indivíduos identificados com o bode expiatório, a figura do bode com frequência aparece depois que o complexo já tenha sido trabalhado parcialmente. A consciência do complexo impõe um conjunto particular de relações com o cornígero deus-bode, na medida em que o indivíduo redescobre, para a cultura moderna, as poderosas energias criativas simbolizadas na imagem. De início, o bode aparece como uma figura ambígua. Por um lado, é encarado como excessivamente agreste e dotado de uma impulsividade indômita. Dessa forma, é temido e evitado. Por outro lado, ele carrega um potencial criativo e erótico.

Essa ambiguidade foi configurada no sonho de uma jovem mulher: "Encontro, na rua principal da cidade, uma gaiola. Dentro dela há um bode preto e pedacinhos de carne crua ao seu redor. É meu chefe quem o mantém preso". Sua associação com a carne crua foi o frenesi com que as mênades de Dioniso laceravam a carne viva de animais. O chefe foi associado a um compartimentalismo rígido e crítico. O sonho mostra que é a estreiteza dessa atitude mental que mantém o seu oposto – uma impulsividade dionisíaca dilacerante – confinado. Porém, a situação encontra-se agora "na rua principal", explícita e óbvia para que ela a perceba. Esse par de opostos é análogo à bifurcação cultural ocorrida na figura do próprio Azazel. Este foi dissociado num acusador demoníaco e condenatório – a sombra de Jeová – e no demônio ctônico mais antigo, que instila as paixões que nos percorrem com uma autonomia semelhante à divina. Essa divisão encontra-se subjacente à crônica dissociação limite presente em boa parte da cultura ocidental.

No caso dessa mulher, o Azazel dissociado impunha uma forte repressão, pois sua consciência se identificava com o *animus* crítico, contrariando suas próprias necessidades e sua autoafirmação. Ao mesmo tempo, o deus-bode fazia-a vítima de violentos e explosivos ataques. No dia anterior ao sonho, ela atacara fisicamente o marido, despejando nele toda a fúria que sentia pelo seu chefe e pelo pai. Refletindo acerca das imagens do sonho, ela começa a transpor a dissociação. Percebeu que o repressor ao qual servia e odiava era a fonte dessa mesma fúria extática que ela adorava e temia – e que era sentida em relação àquele *animus* tirano e repressor e aos homens de sua vida nos quais essa fúria era projetada. Suas emoções em relação ao repressor e à impulsividade situavam-se no mesmo nível, da mesma forma como a repressão e a paixão eram, ambas, Azazel.

Explorando sua ira vulcânica, descobriu que esta era frequentemente racionalizada por meio de uma identificação com os ideais do acusador. Ela explicou:

> Sinto-me gratificada pela minha raiva e pelos ideais arruinados. Chego mesmo a me prender àquilo que me desagrada, a fim de alimentar a raiva. O poder da raiva é algo de pungente. Pode parecer uma clara impotência de fora, mas ela me preenche de uma forma que nem percebo o fato de que, na realidade, pouco me importo com todos aqueles modelos de perfeição e certezas. E nem percebo que estou sendo desviada de afirmar minha própria vida.

Enquanto se submetia às duas faces do dissociado Azazel, começou a perceber que mantinha seus elevados padrões de exigência (especialmente com relação ao marido), a fim de alimentar essa raiva extática. Os ideais do acusador passaram a ser menos significativos do que o senso do seu próprio espaço interior sendo preenchido a partir da emoção. Como em muitos casos semelhantes, essa forma de se autonutrir com uma carga intensa de sentimento instaurou-se como um vício na sua infância seriamente negligenciada.

Cerca de dois anos mais tarde, após um dramático confronto com seu chefe, se posicionou contra seu fanático sentido de correção; porém, depois, sentindo-se insegura, sonhou novamente com um bode: "Estou num bosque. Um homem de rosto parecido com um bode aproxima-se de mim, atravessando um córrego, e estende-me uma velha lâmpada de latão. Sei que se trata de um objeto valioso".

Aqui, a imagem do bode não é a da impulsividade rude enjaulada. O instinto de autoafirmação foi humanizado. Ele é o portador de uma lâmpada, consciência antiga, mas que, para ela, é nova; vinda "do outro lado do córrego" – do inconsciente. O homem com rosto de bode aproxima-se dela com decisão e respeito, oferecendo a ela um presente. No trabalho de imaginação ativa, ela percebeu que essa figura trazia-lhe uma nova maneira de avaliar a experiência; uma nova sabedoria; uma sabedoria em contato com o momento e que afirmava suas próprias reações femininas e instintivas. A figura tornou-se um importante guia para ela ao longo da fase seguinte de seu processo analítico, enquanto aprendia a confiar nos próprios instintos.

Em parte por causa da sensibilidade inata dos indivíduos identificados com o bode expiatório e em parte em razão de o ego permanecer oculto por tanto tempo – próximo ao Self arcaico e ainda não desintegrado – essas pessoas são dotadas de uma intensidade emocional que, inicialmente, parece assustadora. Como o expressou uma paciente: "Tanto a alegria quanto a dor me assustam; como se eu ainda possuísse a intensidade não lapidada de uma criança. Sinto tudo com muita força. Parece uma maldição".

A intensidade é em parte resultante da pressão das energias inconscientes e, portanto, compulsivas, que clamam por serem liberadas. Em última análise, porém, o ímpeto da energia instintiva simbolizada pelo bode possui uma base transpessoal, sendo que o indivíduo identificado com o bode expiatório não o abandona de maneira fácil ou integral. Isso porque a impulsividade mantém o instinto enquanto pura visitação de uma energia como que divina, imbuída de um poder proporcional ao do repressor Azazel. Enquanto o pré-ego teme a ansiedade e a ira desenfreadas, existe, paradoxalmente, uma aversão em dominar essas forças. O indivíduo possui um claro sentido de que o estimulante ímpeto de energia espontânea possui um caráter numinoso que deve ser preservado. Isso compensa a ausência de sentido do deserto. A mesma mulher que expressou seu medo à alegria e à dor afirmou:

> Quando minha ansiedade ou minha raiva explodem, não se trata de algo planejado; é maravilhoso. Não sei como lidar com isso, mas isso se torna presente e confio nessas emoções; não posso colocá-las de lado. Recuso conter-me, mesmo sabendo que são uma "tola satisfação momentânea". Sempre gostei dos filmes em que o cavalo irrompe para a liberdade e torna a ser um garanhão selvagem, recusando-se a ser tolhido. Dessa forma, ele mantém sua integridade. Esse é o único nível no qual tenho confiança.

Essa mulher sentiu o drama do confronto entre as forças do controle coletivo, repressivo, e a indômita força de vida, a única capaz de romper o que ela denominava a "gaiola das regras e definições falsas". A possibilidade de dominar essa energia, encontrando as medidas adequadas e as estratégias para liberar a paixão, pareciam o mesmo que concordar com sua destruição, com que fosse "tolhida". Seu *animus* acusador empenhava-se para reprimir toda relação com seus próprios sentimentos, mas ela sentia o poder numinoso destes, e se sentia dissociada na sua submissão. Ela se sujeitava tanto ao Azazel de Jeová como ao deus-bode pré-hebraico, identificando-se ora com um, ora com outro, porém de forma inconsciente.

Posteriormente, ela descobriu que o Azazel ctônico tem seus próprios autocontroles instintivos. À medida que aprendia não ser preciso entrar em pânico a cada contrariedade, conseguia, em certa medida, conter e mediar as próprias reações. Começou, ao mesmo tempo, a solicitar aquilo de que necessitava e a confiar na possibilidade de ser atendida. Esse fortalecimento do ego libertou seu desejo, sendo, ao mesmo tempo, acompanhado por uma confiança em sua disciplina. Depois de uma sessão em que expressou verbalmente seus sentimentos eróticos pelo terapeuta, ficando intrigada com sua ausência de pudor, teve o seguinte sonho:

> Estou num chuveiro. Um homem muito peludo me vê tirando a roupa. Ele corre na minha direção, excitado, com o pênis ereto. Fico com medo de que ele me estupre e grito "Não!". Ele para de correr e nos defrontamos um com o outro.

A figura peluda e itifálica fez a paciente lembrar-se de Pan. Aqui, tudo o que há de concreto, de físico, de erótico, de espontâneo e de criativo – tudo o que o deus-bode representa – ainda é temido, mas aproxima-se da paciente sem esmagá-la. O chuveiro representa um batismo libertário rumo a uma nova compreensão, a uma nova relação com sua própria compulsividade instintiva. Ela descobre que essa compulsividade constitui uma paixão forte e explosiva, mas que respeita a disciplina e a inibição. Possui, portanto, um potencial criativo. O sonho deflagrou uma intensidade sexual em seu casamento como ela nunca conhecera antes, bem como a retomada de um antigo talento artístico adormecido.

Após muitos anos de terapia, um homem que criara uma dissociação interior entre um severo pastor e um ser furiosamente apaixonado, sem conseguir desvencilhar-se de nenhum dos dois, apresentou o seguinte sonho:

> Estou numa gruta onde há uma mulher sentada sobre uma fenda na terra. Dessa fenda erguem-se vapores, enquanto ela fala num tom declamatório e belo, mas incompreensível. Surge um padre para explicar-me o que ela está dizendo.

O paciente lembrou-se de *Sibyl*, a novela de Lagerqvist, mas ficou intrigado pela força da imagem do padre no sonho, capaz de interpretar os delírios da sibila, possessa do deus-bode. A sibila se acha extaticamente dominada pelos vapores da terra, enquanto o paciente sentia-se dominado por seus rompantes impulsivos. Porém, as mensagens da sibila são necessárias aos suplicantes humanos, havendo a possibilidade de uma atitude nova, reverente e sacerdotal, capaz de servir à incoerente força de vida, procurando mediá-la em termos de modalidades humanamente cabíveis e de reações emotivas expressas de maneira efetiva.

Outra paciente, outrora profundamente imersa no complexo de bode expiatório, também encontrou o deus-bode num momento de transição, em que a imagem aparecia como um guia que a levava rumo a um novo relacionamento com a autoridade do seu Self feminino. Depois de uma prova iniciática, à qual, ela sentia, mal havia sobrevivido, elaborou um "desenho automático" – num trabalho de imaginação ativa – procurando expressar a intensidade de sua experiência. Observando o papel, mais tarde, percebeu que havia ali uma cabeça de bode que também parecia uma menorá, a árvore da vida e o candelabro judaicos. Nos galhos da árvore havia três sóis ou olhos. Nas raízes, havia um quarto sol, escuro, que servia de boca. Ela o imaginava falando, chegando a escutar tons profundos que a enchiam de espanto. Nessa noite, sonhou com um homem sem cabeça vestido de verde, que se aproximava dela sobre uma ponte, carregando a mesma "cabeça de bode-árvore" debaixo do braço. Ela associou essa figura ao Cavaleiro Verde da mitologia celta e ao deus que simboliza a transformação e o permanente potencial da natureza, que iniciou o herói na grande coragem e integridade, segundo os desígnios da Deusa a quem servia. Na psicologia dessa mulher, a figura mostrava uma transformação radical em seu *animus* – implicando uma relativização dos controles heroicos, intelectuais e obsessivos, juntamente com uma nova espontaneidade e confiança nas profundezas do Self. Numa série de reflexões e imaginações ativas acerca da figura misteriosa, descobriu que esta poderia servir-lhe como um psicopompo a iniciá-la numa modalidade nova e criativa de autoexpressão e numa nova carreira, na qual o serviço ao Self fosse respeitado.

É na criação dessa nova ordem que encontramos o sentido do espírito de fertilidade, de morte e renascimento, na forma como é encontrada nas pessoas atingidas pelo complexo de bode expiatório. Esses indivíduos sofrem o exílio e o holocausto, vítimas da parcialidade dissociada e do moralismo maniqueísta do demoníaco e condenador Azazel.

À medida que é descoberto por trás das defesas da *persona* alienada, recebendo apoio, sendo acolhido no receptáculo analítico e sendo observado com uma nova espécie de atenção, tanto por parte do analista como pelos sonhos, o ego-vítima pode aprender uma nova forma de ver enquanto consciência. Pode começar a observar as acusações diabólicas e pesá-las a partir de um novo centro de valoração. O perfeccionismo sobranceiro e acusatório do demoníaco Azazel pode transformar-se, assim, numa capacidade do ego em distinguir criticamente entre eventos observados com atenção. À medida que o ego se relaciona a partir de seu novo centro de autoridade, sentindo-se capaz de discriminar objetivamente, por si mesmo, a crosta da função acusatória, que paralisa a emotividade julgada negativamente, pode, então, também se transformar – o que com frequência é indicado por sonhos que mostram imagens de gelo derretendo-se. O potencial extático simbolizado pelo deus-bode conseguirá, então, encontrar um alívio por meio de formas recém-descobertas.

Um sonho, antecipando essa mudança, foi apresentado por uma mulher cuja formação rígida tornara toda paixão pecaminosa, exceto a justa indignação à qual seus pais se entregavam. Ela sonhou que estava com seu grupo de terapia, percebendo sutis mudanças de tons enquanto as pessoas falavam. A porta, então, se abriu e entraram alguns mascarados. Sua primeira reação foi de medo, percebendo, contudo, que eles traziam gaitas de foles e estavam dançando. Dois deles a puxaram e ela começou a tentar dançar com eles, procurando descobrir os passos adequados àquela nova música. Sentia-se inibida perante o grupo, que a observava, porém logo foi tomada pela dança, descobrindo que poderia divertir-se bastante.

Os mascarados sugerem os antigos dramas do solstício, em que as forças da luz combatem as trevas, com a assistência de um sacerdote, ou druida, visando resgatar o mundo para a luz e para o calor.[75] Foi por dar atenção a um nível sonoro diverso da comunicação verbal comum que a paciente abriu sua porta interior ao influxo desse elemento novo. Transcendendo o espírito crítico, que a princípio a inibia, foi capaz de experimentar sua espontaneidade e participar verdadeiramente da dança.

Da perspectiva do complexo de bode expiatório, Azazel é a divindade que representa tanto a desordem da impulsividade quanto a severa condenação do impulso. Ele constitui, assim, uma imagem arquetípica do portador desses opostos. Ao ser redimido por meio do trabalho terapêutico com as dissociações engendradas pelo complexo, esses opostos podem ser mantidos enquanto ambivalência. Nesse sentido, o deus-bode poderá simbolizar a capacidade de reconciliar o êxtase e a disciplina, a improvisação alegre e o trabalho sério – fornecendo base para a criatividade. Quando o indivíduo consegue suportar e equilibrar a energia instintiva com suas inibições pessoais, tem-se uma capacidade considerada a sabedoria e a criatividade, anteriormente não vividas, da divindade cornígera, a sombra ou *animus* ctônico redimido. O trabalho com o complexo de bode expiatório, portanto, leva inevitavelmente o indivíduo até o deus cornígero enquanto núcleo arquetípico do complexo, mesmo enquanto esse deus é redimido. De um espírito desqualificado da natureza, no qual a sombra de Jeová era projetada, pervertendo-o no sentido de torná-lo o portador de um legalismo abstrato e impessoal, o deus-bode torna-se, em lugar disso, símbolo de uma fonte de vida, nova e espontânea, apta a relacionar-se com o prazer, o jogo, a sensualidade do corpo e as experiências do mundo. Azazel torna-se o espírito condutor capaz de ligar o ego às profundezas e às alturas. A intensidade passional, que fora pervertida no acusador, pode tornar-se, então, uma capacidade de enfoque objetivo e uma intensidade passional de vida e espírito – uma paixão objetiva, semelhante a "um Eros pelo Logos".[76]

A libido simbolizada pelo bode dedicado a Azazel, transforma-se numa energia que poderá ser dedicada à criatividade e à exploração para além das limitações coletivas, embora sensível a estas e disposta a arcar com as consequências de seguir o próprio rumo. Tal originalidade será alvo de gratidão por parte do coletivo, bem como de invejosa hostilidade. Ambas as manifestações devem vir à luz, na medida em que essa energia impele o indivíduo a procurar o espírito do legítimo não conformismo ao coletivo.

Enquanto o Forte de Deus, portanto, Azazel representa a imagem do indivíduo que carrega as provações da vida, suas confusões e suas inevitáveis oposições. Em lugar de fugir da sombra e de expungi-la com uma atitude de perseguição e bondade pessoal, ou aceitando uma identidade coletiva, por meio da aceitação do papel de bode expiatório, podemos aprender a ver as trevas como parte integrante da *tragoedia*, o canto do bode, um hino aos deuses. A partir dessa perspectiva, o envolvimento pelo mal, o sofrimento e a vergonha da paixão e da derrota do ego, e o renascimento em outro nível – em que o Self se manifesta como totalidade individual, abrangendo os opostos – são todos estágios do processo de individuação.[77]

O SACERDOTE DE JEOVÁ

No complexo de bode expiatório, Jeová acha-se dissociado de sua energia ctônica própria e das formas coerentes, diferenciadas e cíclicas da vida instintiva simbolizadas pelo deus-bode. Segundo a tradição astrológica, Jeová está ligado ao planeta Saturno, que governa as energias que prendem, limitam, cristalizam, ordenam, disciplinam e dão forma às estruturas da vida. No complexo, essas qualidades saturninas de limitação são negativizadas, manifestando-se como inibição mortificante, paralisação e esterilidade. Elas criam as formas enrijecidas, abstratas e perfeccionistas que a natureza não pode tolerar, e que são projetadas no demoníaco Azazel.

À medida que o complexo é sanado, as qualidades saturninas poderão ser percebidas também como limitações e ideais egoicos positivos, não dissociados dos níveis naturais e instintivos da existência humana. Dessa forma, além de Azazel se ver aliviado de sua sombra saturnina negativa, a imagem de Jeová também é transformada. Ele se torna, então, o deus do apelo individual, da intenção individual e da limitação construtiva – o deus do "Eu sou aquele que é". Ele representa a consciência diferenciada no mundo da natureza e na natureza humana.

Como Saturno, Jeová rege o signo astrológico de Capricórnio, o salmonete. Azazel, enquanto deus-bode, é também Capricórnio. É nessa matriz esotérica mais profunda que a dissociação do complexo é sanada. Jeová e Azazel transformam-se em aspectos do Uno – deus celestial e deus cornígero, ambos necessários e equilibrados quando se trata do florescimento de uma ordem abstrata e diferenciada, e de uma instintividade em homens e mulheres.

O superego repressivo também se modifica, tornando-se uma capacidade de autodisciplina e, ao mesmo tempo, o foco unificador e as metas do ego que possibilitam a intencionalidade.

O sacerdote de Jeová, porta-voz dos múltiplos imperativos coletivos presentes no complexo, é devolvido à sua função sagrada. O sacerdote – ou sacerdotisa – intervém e medeia, em vez disso, a serviço do Self. Torna-se uma função psíquica que capacita o indivíduo a encontrar e a seguir a voz da legítima consciência, o fator psíquico autônomo que frequentemente se opõe ao código moral coletivo.

Assim, a função sacerdotal ajuda-nos no sentido de uma reconciliação com o nosso próprio centro ordenativo. Enquanto indivíduos podemos, então, encontrar nosso rumo entre os imperativos conflitantes – sacrificando a disposição do nosso ego em obedecer a quaisquer desses imperativos, suportando a experiência dos limites dolorosos da capacidade egoica e as frustrações da realidade, sofrendo uma espécie de relativização psíquica à medida que reconhecemos os paradoxos da situação como um todo, interna e externamente. Podemos ser reconduzidos a um sentido de harmonia, encontrando uma reconciliação com o nosso Self individual por intermédio da própria natureza transpessoal da consciência. Nas palavras de Jung:

> Surge uma solução criativa, forjada pelo arquétipo constelado, imbuída daquela persuasiva autoridade caracterizada, com toda a propriedade, como a voz de Deus. A natureza dessa solução está em ressonância com as mais profundas raízes da personalidade e com a sua totalidade; ela engloba consciente e inconsciente, transcendendo, portanto, o ego.[78]

Capítulo 9

O SENTIDO DO ARQUÉTIPO DO BODE EXPIATÓRIO

O fenômeno do bode expiatório representa uma expressão particular – junto com Caim, Ismael, Satã, a caça às bruxas, a perseguição de minorias e as guerras – do problema genérico da projeção da sombra. Trata-se, pelo que se pode apurar a partir de dados antropológicos, de um fenômeno praticamente universal. Nas culturas em que a conexão com a fonte transpessoal não foi perdida, o indivíduo identificado com o bode expiatório serve à comunidade, devolvendo o mal à sua fonte arquetípica por meio do sacrifício, carregando de volta, aos deuses, um fardo demasiado pesado para o coletivo humano. Na cultura ocidental, os que sofrem a identificação com o arquétipo dividem o peso da divindade central da nossa era, pois o arquétipo do

Messias, enquanto Servo Sofredor, encontra-se no âmago da psique ocidental. Todos nós sentimos a sua força e compartilhamos, em alguma medida, seus efeitos.

Quando, na época atual, os indivíduos apresentam uma identificação profunda com o papel de bode expiatório, eles sofrem os sintomas acima discutidos – suportam uma inflação negativa, o exílio e a dissociação. Eles permanecem à margem de uma relação adequada com o mundo exterior e com suas próprias profundezas internas. Contudo, mesmo depois que conseguem desidentificar-se do fardo do complexo, eles mantêm uma relação toda especial com o arquétipo. "O complexo transforma-se no centro de sua vida",[79] pois suas personalidades foram moldadas segundo esse padrão. Desse modo, eles são "escolhidos" para carregar conscientemente o complexo. O que lhes resta é uma necessidade de relacionar-se conscientemente com o sentido específico do complexo em suas vidas. É nessa busca e nesse trabalho que se encontra a sua cura.

Esse trabalho implica uma relação consciente com as próprias feridas do indivíduo, esses focos de vergonha em que o indivíduo identificado com o bode expiatório sentiu a dor de ser um pária, isolado do Self ainda projetado no recipiente parental. Essas feridas transformaram-se, num primeiro momento, no tecido cicatrizado que perpetuou a dissolução inconsciente e a consequente perda de relação com o coletivo externo e o transpessoal. Por intermédio do sacrifício consciente da identidade coletiva e inflacionada como bode expiatório e salvador, essas feridas podem ser mais bem suportadas abertamente – como conflitos declarados entre a voz coletiva e as mensagens do Self individual. Exatamente como a ferida da lança no lado de Cristo foi vista como sendo o útero da Igreja, essas feridas podem ser encaradas como o receptáculo da alma individual da pessoa, trazendo à luz o indivíduo tal como ele foi destinado a ser. A vulnerabilidade passa a ser vista, então, como um serviço à vida.

Esse senso recuperado de totalidade permite ao indivíduo deixar que o coletivo prossiga em seu caminho com consciência, arcando com uma parcela da própria sombra. Jung enfatizou que essa luta com a própria sombra permite certo grau de autoconfiança e de autonomia psicológica, uma ampliação da consciência, o sacrifício do ideal de perfeição em nome de um ideal de totalidade, e certa relativização do bem e do mal – obviamente necessária, uma vez que devemos viver todos sobre o mesmo planeta. Erich Neumann sugere, ainda, que a responsabilidade do indivíduo pela própria sombra representa um alívio para o coletivo:

> Em contraste com a psicologia do bode expiatório, na qual o indivíduo elimina seu mal pessoal projetando-o nos irmãos mais fracos, consideramos, atualmente, que ocorra exatamente o oposto: encontramos o fenômeno do "sofrimento indireto". O indivíduo assume uma responsabilidade pessoal por parte do fardo coletivo e neutraliza esse mal integrando-o em seu próprio processo individual de transformação. Se a operação é bem-sucedida, chega-se a uma

libertação interna do coletivo, que, ao menos parcialmente, é aliviado desse mal.[80]

Uma jovem mulher apresentou um sonho em que ela aparecia como alguém que aliviava o coletivo do seu material sombrio. Ela fizera terapia durante cinco anos, tendo acabado de voltar de uma visita ao ambiente exageradamente religioso da casa materna, deprimida e regressivamente identificada com seu ego-vítima. Seu sonho:

> Estou caminhando pela casa de meus pais. Parece ser também a casa de meus avós. É uma bagunça. Parece que estou carregando uma pilha do seu velho lixo, que tenho de levar para fora. Encontro um buraco atrás da porta dos fundos. É um buraco grande, na terra, revestido de chumbo.

O lixo foi associado à raiva que nutria pelo pai, um pastor que costumava humilhar os filhos da paciente, exercendo um domínio sobre as atividades dessas crianças, a fim de valorizar sua *persona* aos olhos de sua paróquia. Ela chegara a expressar seus sentimentos, porém não se considerou compreendida. Tinha consciência de que o tratamento dispensado aos filhos a atingiam com tal pungência em razão de trazer à lembrança as suas próprias e inúmeras experiências com o pai. Ela estava ciente das limitações humanas do pai e, até mesmo, daquilo que ela chamava de "sua dissociação devoto-pregadora". Sabia que servira como bode expiatório da família e sentira profundamente a sombra do poder familiar. Agora, esse sonho trazia a nova percepção de que aquela raiva não era sua apenas, mas sim parte de uma sombra ancestral que lhe havia sido confiada.

O chumbo revestindo o buraco do lixo levou-a a considerar que o material que carregava deveria ser radioativo. Ela refletiu:

> Não posso ser colocada com segurança no ar, na água ou na terra. Todo aquele material de força clerical, aquela raiva, tem uma potência muito elevada. O que será aquele recipiente de chumbo para mim?

Havíamos conversado sobre suas antigas defesas pessoais esquizoides como um inerte e insensível recipiente. Ela as imaginara, originalmente, como uma "fachada de chumbo". O buraco de lixo era uma variação do mesmo tema, estando, porém, aberto e já assentado. Ela concluiu que aquilo se referia às encenações psicodramáticas e ritualizadas de sua raiva, que tiveram lugar no início de seu processo terapêutico. A moça apanhou, espontaneamente, uma peça de madeira do consultório e começou a movimentar-se, utilizando-a como uma adaga. Logo estava dançando, com uma fúria cada vez mais intensa. Ao terminar, estava exultante – sua energia vital havia retornado. Ela explicou que fizera a dança de Jael, a heroína quenita do Antigo Testamento. Ligando-se a uma imagem arquetípica de assassínio, e expressando seu sentimento sombrio, foi capaz de levar o sonho adiante e circunscrever o impulso da sombra coletiva numa forma estética e ritual.

Prosseguindo na reflexão sobre Jael, ficou claro que sua imagem era particularmente adequada. Representava de forma precisa a experiência de dissociação ancestral da paciente, porém numa forma redimida e consciente. Jael atraiu o general inimigo, Sisara, com leite e oferecimento de proteção, tendo como propósito assassiná-lo. Apesar disso, ela é louvada. No Cântico de Débora, ela é chamada de "bendita... entre as mulheres... entre todas as mulheres que habitam em tendas, seja ela bendita".[81] Os pais da paciente encobriam sua ânsia de poder, psicologicamente assassino, com um véu de piedosa bondade e hospitalidade. A própria mulher identificava-se com a *persona* da inocência; e, dissociada de sua libido agressiva, identificara-se, também, com seu ego-vítima. A imaginação ativa, por meio da dança ritual, trouxe à consciência e reintegrou as energias da sombra, relativizando a *persona*, tanto quanto a sombra, com base na imagem de um Self forte e feminino, capaz de arcar com o lixo ancestral.

A consciência desse sofrimento ocasionado pela sombra coletiva de poder, além de liberar, de certa forma, as pessoas no seu ambiente imediato, também tornou a paciente "psicologicamente não contagiosa".[82] Ela tornou-se cada vez mais capacitada a confrontar seus pais e os outros, sem se contagiar pela raiva deles. Também se viu capaz de levar seus relacionamentos com uma autoconfiança consciente e adaptativa, em vez de envenená-los com um ressentimento contagiante.

Tal como o sacerdote do culto iorubá para cura da varíola, que apenas se dedica a essa enfermidade, tendo, ele mesmo, se recuperado da doença, e sendo, portanto, imune a ela, o indivíduo desidentificado do complexo de bode expiatório pode confrontar-se com feridas e culpas semelhantes nos outros e tornar-se um agente da consciência e da cura. O sonho de um homem que chegou a formar-se analista, ilustra o modo como esse processo de desidentificação permitiu que ele se tornasse um agente da cura. Seu sonho:

> Estou na França, onde encontro uma cidade medieval que agora está modernizada; as antigas igrejas estão cercadas de habitações modernas. Há uma série de estilos individuais nessa arquitetura. Há, também, um modelo do único tipo de arquitetura não permitido – uma gruta em arco, sem janelas, dentro da qual existe uma figura masculina inchada, de cabeça grande, muda, parecendo um mergulhador que se mantém por meio de provisões sugadas de um aparelho. Mostro aquilo aos amigos que me acompanham e todos concordamos que seja um modo horrível de viver. Encontro-me com minha amiga. Ela acabou de formar-se em medicina. Decidimos deixar a cidade para entrar no deserto. Ela não quer ir, até que eu a convenço de que poderemos redigir uma nova *materia medica* para a vida no deserto. Ela aceita, porque aquilo representa um suficiente desafio em sua vida.

À França, esse homem associou uma tia querida e as conversas mantidas com ela; um dos poucos lugares da infância em que seus sentimentos puderam fluir. A cidade medieval murada (o complexo – um lugar seguro, onde o vício e a virtude estão claramente delimitados) foi modernizada: cada indivíduo conta com a possibilidade de um espaço psíquico, com suas formas próprias, dentro do todo. Os diversos aspectos do paciente têm seu espaço e são aceitos. Somente a antiga e confinada defensividade esquizoide é proibida. O paciente considerou a gruta como uma imagem do seu antigo medo da solidão. Fora este o primeiro sintoma de seu complexo de bode expiatório. À mudez, ele associou sua postura negligente e acomodada, que necessitava de "provisões sugadas", por não conseguir relacionar-se de forma humana e direta. Porém, de um ponto de vista mais positivo, o homem mudo também sugeria a ideia de um "mergulhador psicológico", um explorador do inconsciente.

Na lise do sonho, a aceitação consciente da solidão tornou-se uma cura: o paciente e sua *anima* curadora sacrificam a vida coletiva, entrando espontaneamente no deserto a fim de descobrir um novo repertório de cura. O consentimento consciente com o potencial de individuação presente no arquétipo representa o trabalho de uma vida; a patologia que o indivíduo sofreu e carregou conscientemente transforma-se num apelo a servir – não no sentido antigo do apaziguador, mas sim como o ferido-curador que ousa aventurar-se para além das muralhas coletivas, seguindo um chamado do Self. Nas palavras desse homem, finalmente reconciliado com seu destino:

> Meus pais me mandaram embora, de forma que pude aprender a via do sentimento, que eles jamais me puderam ensinar. Agora, no entanto, na velhice, eles precisam desse sentimento, assim como muitas outras pessoas. Eles me procuram. Sinto-me como o Filho Pródigo. Chega quase a parecer que os anos de exílio foram um tormento, armado pelo destino, pelo qual eu pude crescer.

O deserto, aqui incluído conscientemente, expressa a verdadeira relação do bode expiatório com os deuses. Por meio de sua alienação do coletivo, o bode expiatório exerce sua função medial, auxiliando a conectar o mundo da consciência ao mundo da psique objetiva. Esse serviço ao transpessoal requer uma disposição heroica e consciente para aventurar-se no outro mundo, nas regiões consideradas malignas, arcaicas e terríveis – exatamente aquelas regiões desérticas que constituíam, originariamente, o inferno pessoal do indivíduo identificado com o bode expiatório, onde agora, porém, as energias numinosas podem ser confrontadas com as novas atitudes resultantes do processo de transformação.

O bode expiatório é uma das muitas imagens que sugerem a interface entre consciente e inconsciente. Ao lado dos artistas, dos sacerdotes, dos xamãs, dos palhaços e dos feiticeiros, o bode expiatório atravessa as fronteiras do coletivo, manuseando materiais demasiadamente carregados de perigo e caos para mãos seculares comuns. Com essas outras categorias, o bode expiatório tem a função de redimir modalidades antigas, especificamente por precisar confrontar-se e debater-se com os materiais reprimidos pela cultura.

A imposição do "seja perfeito", por parte do acusador demoníaco, perde seu distorcido significado exotérico enquanto imperativo de uma vida de acordo com os modelos coletivos de comportamento. Torna-se, em lugar disso, um convite ao serviço do espírito em sua manifestação individual junto a uma consciência profundamente harmonizada. Torna-se um apelo à descoberta dessa modalidade inerente de conhecimento – inicialmente pela própria tarefa de "trabalhar" o complexo de bode expiatório em si. Torna-se um apelo à descoberta do destino que promoveu esse doloroso papel enquanto fator para o despertar do redentor espírito interno.

A psicoterapia assume, aqui, seu legítimo papel como pedra de toque do conhecimento da verdadeira essência do indivíduo – o Self – e do sentido do destino comum desse indivíduo sobre a terra.

Um sonho marcante, apresentado por outra mulher, que trabalhava o modo de livrar-se do complexo, apresenta uma imagem do profundo processo por meio do qual ela foi apresentada à fonte transpessoal do bem e do mal:

Meu pai está embriagado. Estou conduzindo, às pressas, jovens escravos pela margem, ocultando-os no convés de embarcações que se dirigem para o norte. Eu os estou enviando para casas onde estejam seguros, como o fez Harriet Tubman. Encontro um buraco junto ao rio, para defecar, para depositar ali o meu volume, normalmente enorme, de excremento... Em seguida, estou numa piscina onde há um homem parecido com Einstein e que foi mandado ali para ensinar-me sobre cosmologia e os mistérios do mundo. Ouço e nado. Ele menciona o treinamento de pessoas para irem até os corpos celestes que dão origem à enfermidade, a fim de descobrir suas causas e os meios como se mantém ali. Há algo a ser aprendido sobre o transporte. Há, também, um paradoxo: o espaço é o nada, o vazio e, todavia, possui esses corpos/planetas onde tem origem a enfermidade. Uma mulher que está presente afirma que a teoria ainda não sairá por alguns anos. O homem foi enviado para falar somente comigo, mas agora há uma série de oficiais à sua volta. Alguém me informa que aquilo que eu perdi será explicado numa publicação da nossa nova sociedade.

Aqui, o princípio paterno é despotencializado e inconsciente. O *animus* patriarcal não é mais condenatório. Dessa forma, a emotividade, a paixão e o relacionamento com a natureza represados, que a paciente associou aos escravos, pode começar a mover-se em direção à liberdade. O ego onírico atua como a figura de psicopompo do Self nos trilhos subterrâneos para libertar a sombra oprimida. Nesse processo, a paciente pode aliviar-se do volumoso acúmulo de agressão recebido – o ressentimento que se formara nela como bode expiatório familiar cumpridor de seus deveres.

Depois, tal como num batismo, abre-se uma nova perspectiva arquetípica diante dela. O singular mensageiro revela que a enfermidade e o mal possuem uma origem transpessoal. Pertencem ao universo e não a ela, pessoalmente. Contudo, ela deverá envolver-se no processo de compreensão desse lado sombrio da vida cósmica, enquanto parte de uma nova dimensão da consciência a desenvolver-se, uma nova sociedade. Há menção, no sonho, a certos mistérios quanto ao "transporte" que, segundo ela, "eram devidos à força centrífuga, de modo que as pessoas portadoras de uma essência cósmica podem fluir de um corpo cósmico para outro". Essa imagem sugeriu à paciente que a energia gerada quando se considera o problema da vida por meio da análise e da introspecção de sua parte, permitiriam, à consciência humana, o salto intuitivo necessário à exploração do paradoxo divino: de que do Nada provêm as esferas de matéria-energia-consciência que dão origem à dor. Temos aí sugerido um equivalente contemporâneo da vida de Buda. Da mesma forma como *avidja* (o autoengano) é o causador do sofrimento, a consciência parcial e distorcida, inerente aos complexos que somos destinados a carregar, é a causa da desordem. Somente por meio do "transportar-se" entre esses complexos, conseguido quando cercamos a totalidade característica do Self, é que poderemos descobrir o significado da enfermidade, a fim de relativizar o inevitável sofrimento humano. O mal pode ser encarado, desse modo, como um elemento relacionado com a sua fonte transpessoal.

O trabalho com o arquétipo do bode expiatório serve, também, para identificar o mal, para discriminar-se entre os níveis da sombra. Eis o sonho de uma mulher, que ilustra a necessidade de atenção à diferença entre conteúdos pessoais, coletivos e arquetípicos da sombra:

> Acabei de limpar meu cano de esgoto e começo a seguir seu trajeto fora da casa. Ele me leva a uma fábrica de fertilizantes. Veem-se canos de todas as casas da cidade. Todo o esgoto e o excremento dão em três grandes tambores que são aquecidos. Depois, tudo aquilo é distribuído como adubo para fertilizar as plantações. Sobrou algum resíduo nos tambores – um resto escuro. Esse resíduo é sugado, por meio de um tubo especial, diretamente para o mar.

Essa mulher descobrira que não podia contar com um mentor venerando, que a aceitasse nos momentos em que sentia ódio. Sua ira corrosiva libertara seu ego da transferência idealizante, permitindo-lhe enxergar uma forma alternativa de lidar com essa emoção inaceitável. Ela conseguia relacionar-se conscientemente com a emoção, distinguir seus sentimentos e, até mesmo, aceitar parte da sombra rejeitada pelo seu mentor. As emoções intensas poderiam ser usadas como fertilizantes do seu ambiente, permitindo o crescimento das coisas, quando ela as expressava de uma forma ressequida e consciente. Parte do seu ressentimento constituía uma postura válida e coletiva contra uma proteção superficial e sentimental da realidade. Contudo, o resíduo mais profundo do excremento deve retornar, de acordo com a indicação do sonho, para o inconsciente. Tal como o anel da lenda germânica e a trilogia de Tolkein, essa libido é demasiada para ser carregada, devendo, pois, ser devolvida ao inconsciente, aos deuses. Ela retornará, sob alguma forma renovada, pois a libido não desaparece. Todavia, ela não pode ser carregada pelo indivíduo ou pelo coletivo. Não pode ser redimida ou alterada, no sentido de purificá-la, por nenhum controle meramente humano.

Essa distinção nos níveis da sombra coletiva é análoga àquela promovida pela tradição ocultista entre o mal relativo e o absoluto. Há uma parte culturalmente subordinada da sombra que, ao se tornar consciente, pode ser reavaliada e devolvida no sentido de enriquecer o coletivo. Há, também, uma destrutividade abissal, até mesmo voluntária, que se insurge contra a evolução cultural e contra os próprios deuses. Trata-se do mal absoluto; parte de alguma incompreensível malignidade e poder, perante o qual, tal como Jó, apenas podemos cobrir nossa boca quando a vemos na natureza e tremeluzindo, sombria, em nosso interior.

A mulher acima mencionada, relacionava seu ódio de viver e sua destrutividade às energias que deram origem aos campos de concentração, bem como às energias que irrompem das profundezas das psicoses. Tal como todo indivíduo identificado com o bode expiatório, ela também assumiu prontamente uma carga excessiva de responsabilidade por esses aspectos da sombra coletiva. Chegara, inclusive, a dedicar sua vida, anteriormente, a algumas causas e a ajudar os outros. O buraco negro no mar parecia-lhe ligado às profundezas de forças terríveis – a fenda de Mordor, o sepulcro arcaico e primitivo – um buraco negro que concentra a inelutável destrutividade do Ser desconexo, sua mais negra frieza. No sonho, ela pôde perceber que este era um elemento transpessoal.

Olhar para a goela desse local selvagem e temerário de poder produz um duplo efeito. Não é apenas sepulcro, mas também ventre. Ele liberta o indivíduo para um novo nascimento. O ódio e a destrutividade do indivíduo podem ser vistos como um reflexo da face obscura do transpessoal, que, para os indivíduos identificados com o bode expiatório, representa uma autoconfiança necessária. As energias da sombra, com as quais eles foram identificados e, em última análise, até mesmo a raiva e a destrutividade que sentem, são reflexos do lado obscuro da existência. Elas podem ser proclamadas conscientemente com afirmações de totalidade e da capacidade do Self em trazer à tona, em cada um de nós, nossa própria e monstruosa individualidade. Além disso, entretanto, o reconhecimento das aterradoras regiões de poder força-nos a tomar uma posição pessoal. Penetramos em nós mesmos à medida que lutamos com as energias sombrias que emergem em nós e nos outros, e enquanto aprendemos a nos colocar, conscientemente, contra a simples atuação das forças nas quais cada um de nós toma parte.

O antigo ritual do bode expiatório transcorre nas transições periódicas que anunciam o Ano-Novo. É um sacrifício de base, visando aplacar a divindade e assegurar a proteção divina da nova fase ou forma da vida cultural. A evidência, amplamente disseminada em nossos tempos, da injúria às mais profundas e antigas camadas da psique, e dos complexos de alienação e rejeição-inferioridade, sugere que uma nova era se encontra em preparação e que nós, enquanto indivíduos, sofremos a sua gestação. O exílio do recipiente provedor original, concretizado no coletivo familiar, é um lugar comum em nosso tempo.

Essa consciência só pode ser atendida individualmente. Cada pessoa destinada a tornar-se um indivíduo consciente, por meio do exílio do coletivo, chega a uma visão e a uma relação particulares com a consciência – engendradas, em parte, pelas próprias marcas de vida do indivíduo e pela característica particular do seu exílio. Os que chegam a esse ponto, são os construtores de um novo templo e de um novo domínio.[83]

Há um conto sufi que me foi trazido à lembrança, de maneira independente, por três analisandos identificados com o arquétipo do bode expiatório. Ele expressa o sentido positivo do bode expiatório enquanto promotor de uma nova ordem.

A Princesa Determinada

Certo rei acreditava na autoridade de tudo aquilo que lhe fora ensinado e de tudo aquilo que ele considerava correto. Era um homem justo, sob muitos aspectos, porém de ideias limitadas.

Um dia, disse ele para suas três filhas:

"Tudo o que possuo é de vocês ou pertencerá a vocês. Através de mim, vocês ganharam a vida. É a minha vontade que determina o futuro e, portanto, o destino de vocês."

Conforme era seu dever, e totalmente convencidas dessa verdade, duas das jovens concordaram.

A terceira filha, entretanto, falou:

"Embora minha condição exija obediência às leis, não posso acreditar que meu destino deva ser sempre determinado pelos teus pensamentos."

"Veremos", disse o rei.

Ele ordenou que ela fosse encarcerada numa pequena cela, onde ficou definhando por anos a fio. Nesse ínterim, o rei e suas filhas obedientes aproveitavam livremente da parte da riqueza que, de outro modo, seria dela.

O rei, então, pensou com seus botões:

"Esta jovem está no cárcere não pela sua própria vontade, mas pela minha. Isto é prova suficiente, para qualquer mente lógica, de que é a *minha* vontade, e não a dela, que determina o seu destino."

O povo do país, ouvindo falar da situação de sua princesa, comentava:

"Ela deve ter feito ou dito qualquer coisa de muito grave para um soberano, no qual não encontramos nenhuma falta, tratar dessa forma sua própria carne e sangue." Isso porque ninguém chegara a contestar a afirmação do rei de que tinha autoridade sobre tudo.

De tempos em tempos, o rei visitava a jovem. Embora pálida e enfraquecida pelo seu confinamento, ela se recusava a mudar de atitude.

Por fim, a paciência do rei se esgotou.

"Essa sua afronta contínua", disse ele, "apenas irá aborrecer-me ainda mais; além disso, sua presença no reino parece enfraquecer minha autoridade. Eu poderia matá-la, mas tenho bom coração. Assim sendo, vou bani-la para o deserto adjacente a meu reino. É uma terra erma e inabitada, exceto por animais ferozes e por gente que, de tão estranha, foi expulsa por não conseguir viver na nossa sociedade racional. Ali você logo descobrirá se pode ter uma existência à parte de sua família; e, caso possa, se prefere essa existência à nossa."

O decreto foi imediatamente obedecido, e a princesa foi levada até as fronteiras do reino. Logo ela se viu perdida numa terra inóspita, que pouca semelhança guardava com o ambiente acolhedor em que fora criada. Não tardou a perceber, contudo, que uma gruta podia servir-lhe de moradia, que as nozes e os frutos podiam ser apanhados exatamente como das bandejas douradas e que o calor provinha do sol. Esse deserto possuía um clima e uma forma própria de existência.

Passado algum tempo, ela ordenara de tal modo sua vida que obtinha água das fontes, vegetais da terra e fogo de uma árvore em chamas.

"Eis aqui", pensou ela, "uma vida cujos elementos participam em conjunto, formando um todo, embora nenhum deles, seja de forma individual ou coletiva, obedeçam às ordens de meu pai, o rei."

Certo dia, um viajante perdido – casualmente homem de muitas posses e engenho – encontrou a princesa exilada, apaixonou-se por ela e a levou de volta ao país dele, onde se casaram.

Algum tempo depois, os dois resolveram retornar ao deserto, onde construíram uma imensa e próspera cidade em que sua sabedoria, seus recursos e sua fé eram expressos da maneira mais completa. Os "estranhos" e outros banidos, muitos dos quais considerados loucos, se harmonizaram de forma completa e útil com essa vida multiforme.

A cidade e o campo a seu redor conquistaram fama pelo mundo todo. Não tardou muito para que seu poder e beleza sobrepujassem, de longe, o reino do pai da princesa.

> Por uma escolha unânime dos habitantes, a princesa e seu marido foram eleitos como os monarcas desse reino novo e ideal.
>
> Por fim, o rei decidiu visitar aquele estranho e misterioso lugar que florescera num deserto e que era, segundo se contava, habitado, ao menos em parte, por aqueles aos quais ele e seus afins haviam desprezado.
>
> Quando, com a cabeça curvada, aproximou-se lentamente do pé do trono no qual se encontrava o jovem casal, ergueu os olhos para conhecer os monarcas cuja reputação de justiça, prosperidade e compreensão ultrapassava em muito a sua, pôde ouvir as palavras murmuradas por sua filha:
>
> "Vê, meu pai, como cada homem e mulher tem seu próprio destino e sua própria escolha."[84]

No conto, o exílio fornece um impulso para reclassificar, reconciliar e redimir o antigo sistema de valores, permitindo o estabelecimento de um novo domínio. Nesse novo domínio, os antigos valores coletivos são abandonados – não sufocados ou combatidos, mas simplesmente deixados para trás, superados. Além disso, o novo domínio é estabelecido no deserto – a região intermediária, habitada pelos "estranhos" e pelos viandantes. O deserto, imagem tão frequente nos sonhos das pessoas identificadas com o bode expiatório, torna-se, por fim, uma imagem da conexão, a base a partir da qual o ego estável pode buscar, ativamente, uma relação criativa com a vida e as profundezas perenes da psique objetiva.

Um elemento radicalmente novo, presente nessa visão, é o respeito de cada indivíduo pela particularidade da visão e da contribuição do outro. Segundo as palavras de uma mulher:

> Por eu ser capaz de amar minhas próprias feridas e forças agora – por preocupar-me com elas e acolhê-las –, posso amar até mesmo a meu destino. Posso, também, aceitar as feridas e as forças dos outros e abdicar da necessidade de ser aquela pessoa que é correta e forte, ou aquela que é incorreta e declaradamente fraca. Cada um de nós é correto e incorreto, como o cego e o elefante. Pois cada um de nós detém uma parcela da verdade. A verdade está aí, mas cada um é limitado por sua restrita visão pessoal. Portanto, precisamos uns dos outros e completamos uns aos outros.

A questão do bode expiatório não admite nenhuma solução fácil na cultura coletiva. O espírito de todos os grupos tende a uma consciência de nível mágico, com uma propensão à dissociação e à projeção da sombra. A maior parte dos grupos mantém seu senso comum de identidade pessoal por meio da união contra o adversário – expulsando o que seja considerado negativo – exatamente como procede a maior parte das pessoas.[85] Porém, o tipo de consciência que possibilita a percepção desse fato não é característico do espírito grupal primitivo. Deve ser deliberadamente estimulado. Só pode manifestar-se no nível individual e, a menos que haja um respeito pelas perspectivas individuais no grupo, as vozes diligentes, que clamam em meio à aridez coletiva, poderão soar indiferenciadas.[86] As testemunhas objetivas não conseguem diferenciar-se dos excêntricos inadaptados, dos que buscam a si mesmos e das personagens-limite inconscientes que estimulam o oposicionismo que preenche suas próprias carências em termos de poder. Com bastante frequência, a hierarquia autoritária do grupo exacerba a dificuldade inerente de diferenciação e inibe a divergência potencialmente criativa.

O próprio arquétipo do bode expiatório pode servir de mediador entre um grupo coerente, positivamente identificado, e os marginais, exatamente como medeia entre os ideais do ego individual e a sombra – tornando consciente o sentido e a dinâmica de projeção da sombra. Entretanto, a menos que o arquétipo seja carregado com uma consciência que possibilite uma desidentificação, ele vai atolar os membros do grupo e o espírito grupal em dissociações semelhantes àquelas sofridas pelos indivíduos. Para que o arquétipo seja carregado com consciência, ele carece de uma imagem significativa, capaz de incluir suas dissociações e apresentar um espelho à sua própria natureza.

Enquanto muitos cristãos consideram Cristo apenas mais um bode expiatório a carregar todos os pecados do fiel, uma perspectiva introvertida e espiritual poderá considerá-lo o símbolo daquele que carrega, conscientemente, o sofrimento das oposições internas, como sua crucificação pessoal. Nesse sentido, ele é um modelo para o ego em processo de individuação, o ego que carrega sua totalidade de maneira tão indefensiva – e, portanto, consciente – quanto possível.[87] Isso implica uma aceitação das qualidades que correspondem ao ego ideal, bem como daquelas que não lhe correspondem, mantendo os opostos juntos simultaneamente, com atenção e intuição, a fim de que o indivíduo perceba a própria autoimagem. Promove-se, dessa forma, uma visão desconcertante e sensata dos paradoxos, sonoridades e dissonâncias da natureza do indivíduo.

Um símbolo igualmente significativo, e que permite uma conscientização desses opostos a partir de uma perspectiva feminina, sensível e ritmicamente alternante, pode ser encontrado nas imagens da Grande Deusa (por exemplo, Inana, Perséfone, Kali, Ísis etc.). São imagens que expressam aspectos ideais e sombrios do todo equilibrando-se ao longo do tempo. Dessa forma, Inana, ora é promotora da vida, ora é impiedosamente destrutiva; Kali, ora é maternal, ora selvagemente devoradora. Elas simbolizam um modelo que permite ao ego em processo de individuação experimentar as duas faces, ou as muitas faces, da sua natureza, com intensidade de sentimento, e de recordar-se delas quando se manifestam no terreno paradoxal do tempo por trás das divergências. Esse modelo, por depender da integridade da percepção corporificada e afetiva, é temporal.

Ambos os modelos simbólicos implicam a necessidade de chegar-se a uma consciência do nível de realidade que existe por trás dos opostos. Ambos sugerem a consciência espiritual da árvore da vida e da morte que, na mitologia, encontra-se oculta de todos, exceto dos iniciados, atrás da árvore do conhecimento do bem e do mal. Atingir essa consciência envolve uma transformação da percepção individual da própria divindade, transformação que se encontra implícita na cura do complexo de bode expiatório, uma vez que a função dos dois bodes, sacrificados em nome de uma reconciliação com a divindade, é, inicialmente, desempenhada pelo ego-vítima e pelo ego alienado. O oculto e traumatizado "eu verdadeiro" é devolvido à vida, da mesma forma como o indivíduo que porta o fardo, por meio de experiências que soam como uma graça e pela descoberta do acesso aos arquétipos parentais no caldeirão ritual da análise. Dessa forma, as partes podem curar-se e desenvolver-se. Ambas as partes, contudo, retornam à vida com suas extraordinárias visões de sacrifício, separação, angústia, confusão, vazio total e mal. Elas têm um conhecimento íntimo da sombra e do sofrimento. Essa visão deve ser integrada a um novo conceito de realidade ou de divindade. Somente quando as experiências do indivíduo conseguem ser encaradas como significativamente relacionadas com uma imagem de transpessoal, é que o indivíduo identificado com o bode expiatório consegue encontrar a autoaceitação necessária à vida. Muitas dessas pessoas chegam a reconhecer que a face sombria da divindade constitui uma força palpável – uma força que merece o respeito de uma confrontação consciente. No contexto do "fenômeno" amoral da divindade,[88] a sombra humana encontra seu sentido e propósito transpessoais. Ela participa do paradoxo da ordem e da desordem divinas.

A conquista dessa percepção é árdua. É dela que os patriarcas das religiões defendem a humanidade ao limitar a realidade e a divindade aos ideais de virtude. Paradoxalmente, são também essas mesmas virtudes, e seus vícios correspondentes, que dão origem à perseguição do bode expiatório e, por meio dessa perseguição, ao desenvolvimento do potencial da consciência capaz de relacionar-se com a realidade que existe por trás daquilo que é classificado como vício e virtude. Sendo, ainda, que as defesas próprias são válidas, pois apenas quem é forte, disciplinado e dedicado suporta penetrar nessa consciência, tão paradoxal e dolorosa, da polivalente totalidade da vida. Os que sofrem do complexo de bode expiatório situam-se entre os indivíduos chamados a essa visão, adquirida, ao mesmo tempo, por intermédio da cura do complexo e com o intuito de conseguir essa cura.

NOTAS

(Referências bibliográficas com respeito a detalhes de publicação não estão aqui incluídas.)

1. Mary Douglas, *Purity and Danger: An Analysis of Concepts of Pollution and Taboo*, p. 53.
2. Jerome Kagan, "The Parental Love Trap", *Psychology Today*, (agosto de 1978), p. 54.
3. Mateus 5:48, versão do Rei James.
4. Jung, *Mysterium Coniunctionis*, CW 14, par. 117.
5. Ver, especialmente, James G. Frazer, *The Scapegoat;* R. DeVerteuil, "The Scapegoat Archetype"; Hyam Maccoby, *The Sacred Executioner: Human Sacrifice and the Legend of Guilt;* John B. Vickery e J'nan M. Sellery, orgs., *The Scapegoat: Ritual and Literature*.

6. Ver Gertrude Ujhely, "Thoughts Concerning the *Causa Finalis* of the Cognitive Mode Inherent in Pre-Oedipal Psychopathology", e Edward C. Whitmont, "The Magic Dimensions of the Unconscious".
7. Theodor H. Gaster, *Festivals of the Jewish Year,* pp. 138-139.
8. Ver Jung, "A Psychological View of Conscience", *Civilization in Transition*, CW 10.
9. *Ibid.*, par. 852.
10. *Ibid.*, par. 855. Ver também "The Transcendent Function", *The Structure and Dynamics of the Psyche*, CW 8.
11. *Participation mystique* é um termo emprestado do antropólogo Lucien Lévy-Bruhl. Segundo Jung, "Ela denota uma espécie peculiar de conexão psicológica... [na qual] o sujeito não consegue distinguir-se claramente do objeto, estando, porém, ligado a este por um relacionamento direto, que contribui para uma *identidade* parcial." ("Definitions", *Psychological Types*, CW 6, par. 781.)
12. Existe um remanescente dessas orgias da fertilidade no Yom Kippur, mencionado no Mishná. Ali, as jovens de Jerusalém dançam nas vinhas, elegantemente vestidas de branco, para atrair pretendentes. Ver Gaster, *Festivals of the Jewish Year*, pp. 148-49.
13. E. Neumann, *The Child*, p. 128 [*A Criança*. São Paulo, Cultrix, 1991 (fora de catálogo)].
14. Douglas, p. 48.
15. *Ibid.*, p. 53.
16. Na peça nigeriana de Wole Soyinka que trata de um bode expiatório, um professor é apedrejado e banido, assumindo o lugar do bode

expiatório original, um pobre vagabundo. O professor é considerado um ofensor, em razão de ser excepcionalmente educado, sensível e empático.

17. Frazer, *The New Golden Bough*, pars. 439-66.

18. Dionísio de Halicarnasso, citado por Jessie Weston, *From Ritual to Romance*, p. 92. Frazer identifica Mamurius Veturius como "o velho Marte", a divindade da vegetação do ano velho, que era batido nos órgãos genitais visando purificar e intensificar o potencial procriativo e, depois, morto, a fim de abrir caminho ao deus renascido, fértil e vigoroso do novo ano.

19. Frazer, *New Golden Bough*, par. 462.

20. Ver Jean Baker Miller, *Toward a New Psychology of Women*.

21. Jung, "A Psychological View of Conscience", CW 10, par. 830.

22. Ver Jung, *Psychological Types,* CW 6, pars. 638-43 (sentimento introvertido), e 655-63 (intuição introvertida).

23. Pode haver, numa mesma família, mais de um filho, obviamente, identificado com o bode expiatório, cada qual carregando aspectos distintos da sombra parental e coletiva.

24. Neumann, *The Child*, p. 86.

25. Os indivíduos identificados com o bode expiatório possuem, geralmente, uma vaga impressão de já terem sido aceitos em alguma ocasião. Tendem a sentir a existência, ali, de alguma pessoa periférica que valorizou sua existência. Esse sentimento sustenta o ego oculto – ou "eu verdadeiro", na expressão de D. W. Winnicott (ver *The Maturational Processes and the Facilitating Environment*) – ao mesmo

tempo que afasta o medo e o ódio totais do indivíduo contra si mesmo, capazes de levar à psicose.

26. R. D. Laing, *The Divided Self: An Existential Study of Sanity and Madness* (Pelican Books, Londres, 1965), pp. 42-3.

27. Levítico 16:16, Bíblia de Jerusalém.

28. Louis Ginzberg, *The Legends of the Jews*, vol. 1, p. 148.

29. Levítico 16:21, Bíblia de Jerusalém.

30. *Ibid.*, 16:22.

31. Rivkah Kluger, *Satan in the Old Testament*, p. 48.

32. William Butler Yeats, *The Collected Poems* (Nova York, Macmillan Company, 1956), p. 184.

33. Ginzberg, vol. 1, p. 125.

34. Maccoby postula que a etimologia de *Azazel* vem de *ez*, "bode", e de *azal*, "ir" ou "escapar" (p. 189). As autoridades rabínicas derivam o nome dos termos "montanha sólida" ou "rocha".

35. Kluger, p. 48.

36. Maccoby argumenta que Azazel "pode ser um nome dado, originalmente, ao próprio Carrasco Sagrado" (p. 189), o perpetuador sacerdotal do sacrifício humano que apaziguava um Deus irado. O Carrasco Sagrado era, assim, o portador da gratidão e da culpa da comunidade. Era banido para o deserto, a fim de vagar livremente em busca de sua ação essencial e reconciliatória. Ali, ele portava a marca distintiva do cordão vermelho utilizado para espargir o sangue da vítima imolada. Era um temido fora da lei, mas alguém

identificado com o deus do deserto e, portanto, sob proteção divina. Sofria, assim, um "exílio privilegiado" (pp. 22, 34-6).

37. DeVerteuil, p. 212.

38. Ginzberg, vol. 5, p. 171.

39. Gershom Scholem, *Major Trends in Jewish Mysticism*, p. 237.

40. Ver Marie-Louise von Franz, *Shadow and Evil in Fairytales*, p. 147.

41. Douglas, p. 117.

42. Por exemplo, a descida de Inana ao *kur*, o mundo de Ereshkigal e da sombra coletiva; o confronto de Cristo com as tentações da impulsividade arquetípica sob a forma de Satã; e o retiro de Buda para atingir a Iluminação.

43. Ver, por exemplo, Salvador Minuchin, *Families and Family Therapy* (Cambridge, Harvard University Press, 1974).

44. Douglas, p. 5l.

45. Jung, "A Psychological View of Conscience", CW 10, pars. 849-52.

46. Edward C. Whitmont, *Return of the Goddess*, pp. 40ss.

47. Karen Horney, *Neurosis and Human Growth: The Struggle toward Self-Realization* (Nova York, W. W. Norton, 1950), pp. 64-5.

48. Otto Kernberg, *Borderline Conditions and Pathological Narcissism*, p. 30.

49. Marion Woodman, *Addiction to Perfection: The Still Unravished Bride*.

50. Este é um dos riscos existentes quando o analista não trabalhou seu próprio complexo de bode expiatório. Pode surgir, facilmente, um problema em nível de poder, dificultando o acesso do analista aos

elementos da sombra e inibindo a abertura empática para as profundezas da emotividade bruta.

51. Ver Frazer, *The Scapegoat*.

52. Ver Maccoby, *The Sacred Executioner,* e Jacques Soustelle, *Daily Life of the Aztecs*.

53. Segundo Hans Kohut: "Para escapar da depressão, a criança volta-se, do objeto ausente, ou não empático, do eu para as sensações orais, anais e fálicas, experimentadas com grande intensidade... [Este](s) ato(s) proporcionam... um sentimento efêmero de força e elevam a autoestima [sendo, porém] obviamente incapazes de preencher a principal lacuna, necessitando, dessa forma, ser repetidos indefinidamente – tornando-se um verdadeiro vício para o paciente" (*The Restoration of the Self*, p. 122). Os próprios estados emocionais, quando experimentados com intensidade, possuem efeito semelhante, de modo que os indivíduos identificados com o bode expiatório podem, igualmente, viciar-se na raiva, no desespero, na ansiedade ou no sexo, com a mesma prontidão que na comida, no álcool ou nas drogas.

54. Tendo em vista que o complexo é tão disseminado, esses ataques de animosidade representam um perigo coletivo onipresente.

55. Gaster, *Myth, Legend and Custom in the Old Testament*, p. 581.

56. No nível de grupos sociais, esse comportamento atua, com grande frequência, como o fundamento das guerras "justas".

57. Pouco antes de essa mulher ingressar na terapia, fora privada de seu principal foco usual de vingança, pois o marido a havia abandonado. A libido da autoafirmação regrediu, então, para uma forma mais

passiva, voltando-se contra o seu próprio ego-vítima. A paciente tornou-se fatalista e tomada por impulsos suicidas. A vingança expressa no sonho indicava um retorno às capacidades de autoafirmação, movendo-se, no espectro, em direção à responsabilidade pela própria sobrevivência. Essa modalidade de agressão pode ser trabalhada com maior facilidade na terapia, no sentido de afirmar e dominar a energia instintiva.

58. Ver Jung, *The Visions Seminars*, pp. 212-213.

59. Ver Sylvia Brinton Perera, "Ceremonies of the Emerging Ego in Psychotherapy".

60. Jung, *Psychology and Alchemy*, CW 12, par. 152.

61. Ver Perera, "Ceremonies of the Emerging Ego in Psychotherapy".

62. O modelo do trabalho analítico baseado apenas na frustração de carências pode inibir qualquer cura nos indivíduos esquizoides identificados com o bode expiatório. O perigo é que o terapeuta está sujeito a ser colocado no papel do acusador castrador, ou da vítima inconsolável dos imperativos da "análise", enquanto, inconscientemente, o paciente frauda o terapeuta, levando adiante o complexo indefinidamente.

63. Ver Edward F. Edinger, *Anatomy of the Psyche*, capítulo 4. [*Anatomia da Psique*. São Paulo, Cultrix, 1990.]

64. Nesse nível de interação, o conceito de projeção parece não se aplicar. A fusão do bode expiatório com a comunidade é mágica e simbiótica. A cura do outro estende-se à cura do perseguido, que se encontra fundido com o outro, pois o responsável mantém viva sua realidade, percebendo sua presença nos outros e alimentando-a ali.

Há uma estreita analogia com o enraizamento primitivo do pré-indivíduo na tribo e com a criança no campo simbiótico mãe-filha, ambas modalidades de *participation mystique* (ver acima, nota 11).

65. Frazer, *New Golden Bough*, par. 462.

66. *Ibid.*

67. Ver Perera, *Descent to the Goddess*; *A Way of Initiation for Women*.

68. É de valor inestimável a presença de alguma referência a uma figura benigna da infância, na qual o indivíduo possa apoiar o aprendizado corrente. Quando as únicas lembranças do gênero referem-se a companheiros de infância, o trabalho deve transcorrer numa lentidão suficiente para "fazê-los crescer". Na ausência de pessoas constantemente atenciosas a serem lembradas, as feridas do ódio contra si próprio abrem-se facilmente sob a pressão, exigindo constante atenção. Nesses casos, a própria transferência pode requerer uma abertura aos níveis beirando o psicótico, em que o ego-vítima se oculta, embora isso nem sempre seja possível.

69. Edward F. Edinger, informação fornecida pessoalmente.

70. Enki, ou Ea, era um deus criador da água e da sabedoria, representado, por vezes, como um bode com rabo de peixe, a divindade original da constelação de Capricórnio. Foi o libertador da deusa Inana, o primeiro bode expiatório da literatura, do exílio no mundo subterrâneo de *kur*, o deserto (ver Perera, *Descent to the Goddess*).

71. Pan, o hirsuto de patas de bode, Deus Cornígero das Bruxas (ver Margaret Murray, *The God of the Witches*), e Satã fazem parte, portanto, da linhagem de Azazel.

72. O mesmo nome, Ninamaskug, era dado a Dumuzi, o deus pastor anualmente morto e restaurado, e ao Rei Anual, consorte da deusa Inana (ver Perera, *Descent to the Goddess*).

73. Stephen H. Langdon, *Mythology of All Races*, vol. 5, *Semitic*, p. 356.

74. Com referência a esse motivo em outra parte do mundo ocidental, ver Anne Ross, *Pagan Celtic Britain* (Nova York, Columbia University Press, 1967).

75. Ver Ralph Whitlock, *In Search of Lost Gods: A Guide to British Folklore*, p. 177.

76. Edward C. Whitmont, informação fornecida pessoalmente.

77. Ver Edward E. Edinger, "The Tragic Hero: An Image of Individuation", p. 68.

78. Jung, "A Psychological View of Conscience", CW 10, par. 856.

79. Jung, "The Fight with the Shadow", CW 10, par. 456.

80. Erich Neumann, *Depth Psychology and a New Ethic*, p. 130.

81. Juízes 5:24, Bíblia de Jerusalém.

82. Neumann, *Depth Psychology*, p. 103.

83. Ver Edward F. Edinger, *The Creation of Consciousness: Jung's Myth for Modern Man*, p. 11 [*A Criação da Consciência: O Mito de Jung para o Homem Moderno*. São Paulo, Cultrix, 1987 (fora de catálogo)].

84. Idris Shad, *Tales of the Dervishes*, pp. 63-5.

85. Mesmo os grupos inicialmente orientados para uma tarefa caem para a forma mais primitiva, quando seu foco de cooperação torna-se obscurecido ou tão complexo a ponto de se formarem facções

em torno de sua implementação ou, ainda, tão amplo que seus membros não podem mais partilhar entre si no sentido de encontrar áreas de reciprocidade e respeito indefensáveis.

86. Ver Edward C. Whitmont, *Return of the Goddess*, pp. 255-56, e "Individual Transformation and Personal Responsibility", *Quadrant*, vol. 19, nº 1 (primavera de 1986). Sugere-se, aqui, a necessidade de novas formas de autoconfronto grupal, por meio do "nivelamento" mútuo de cada membro. A literatura sobre dinâmica de grupo e familiar sustenta tanto a eficácia dessas formas quanto o potencial de aprendizado de novas formas de consciência por intermédio da terapia grupal e familiar.

87. Ver Edward F. Edinger, "Christ as Paradigm of the Individuating Ego", em *Ego and Archetype: Individuation and the Religious Function of the Psyche* [*Ego e Arquétipo*. 2. ed. São Paulo, Cultrix, 2020].

88. Ver Jung, "Answer to Job", *Psychology West and East*, CW 11, par. 600. O comportamento de Jeová com relação a Jó, escreve Jung, é o de um "ser inconsciente que não pode ser julgado moralmente. Jeová é um *fenômeno* e, nas palavras de Jó, 'não um homem'".

GLOSSÁRIO DE TERMOS JUNGUIANOS

ANIMA – ("alma" em latim) – O lado feminino inconsciente da personalidade masculina. Nos sonhos, a *anima* é personificada por imagens de mulheres que vão desde prostitutas e sedutoras até guias espirituais (Sabedoria). É o princípio do eros, de forma que o desenvolvimento da *anima* reflete-se na maneira como o homem se relaciona com as mulheres. A identificação com a *anima* pode manifestar-se como mau humor, efeminação e hipersensibilidade. Jung classifica a *anima* como o *arquétipo* da própria vida.

ANIMUS – ("espírito" em latim) – O lado masculino inconsciente da personalidade feminina. Representa o Princípio do Logos. A identificação com o *animus* pode levar a mulher a tornar-se rígida, dogmática e propensa a discussões. De um ponto de vista mais positivo, ele é o homem interior que atua como uma ponte entre o ego da mulher e as fontes criativas do seu próprio inconsciente.

ARQUÉTIPOS – Impossíveis de uma representação em si mesmos, embora seus efeitos se manifestem na consciência, como imagens e ideias arquetípicas. Trata-se de padrões ou de motivos universais oriundos do inconsciente coletivo e que constituem o conteúdo básico das religiões, mitologias, lendas e contos de fadas. Apresentam-se para os indivíduos por meio de sonhos e visões.

ASSOCIAÇÃO – Fluxo espontâneo de pensamentos e imagens interligadas, em torno de uma ideia específica, determinado por relações inconscientes.

COMPLEXO – Conjunto de ideias e imagens emocionalmente carregado. No "centro" de cada complexo existe um arquétipo ou imagem arquetípica.

CONSTELAR – Sempre que se verifica uma reação emocional intensa a uma pessoa ou situação, temos a constelação (ativação) de um complexo.

EGO – O complexo central no campo consciente. Um ego fortalecido pode relacionar-se objetivamente com os conteúdos ativados do inconsciente (i.e., com outros complexos), em vez de identificar-se com eles, o que se apresenta como um estado de possessão.

FUNÇÃO TRANSCENDENTE – O reconciliador "terceiro fator" que emerge do inconsciente (sob a forma de um símbolo ou de uma nova atitude), uma vez que os opostos conflitantes foram conscientemente diferenciados, mantendo-se a tensão entre estes.

INDIVIDUAÇÃO – A realização consciente da realidade psicológica única do indivíduo, incluindo tanto as forças quanto as limitações. Trata-se de um processo que leva à experiência do Self enquanto centro regulador da psique.

INFLAÇÃO – Estado no qual o indivíduo possui um sentido de identidade irrealisticamente elevado ou diminuído (inflação negativa). Indica uma regressão do consciente para o inconsciente, processo que ocorre, tipicamente, quando o ego assume uma carga demasiado grande de conteúdos inconscientes, perdendo a faculdade da discriminação.

INTUIÇÃO – Uma das quatro funções psíquicas. É a função irracional que nos informa acerca das possibilidades inerentes do presente. Em contraste com a sensação (a função que percebe a realidade imediata por meio dos sentidos físicos), a percepção intuitiva ocorre via inconsciente, por exemplo, em lampejos perceptivos de origem desconhecida.

PARTICIPATION MYSTIQUE – Termo emprestado do antropólogo Lévy-Bruhl, indicando um elo psicológico primitivo com objetos, ou entre pessoas, resultando num poderoso vínculo inconsciente.

PERSONA – ("máscara do ator" em latim) – O papel social do indivíduo, derivado das expectativas sociais e da primeira formação. Um ego fortalecido relaciona-se com o mundo exterior por meio de uma *persona* flexível; a identificação com uma *persona* específica (médico, intelectual, artista etc.) inibe o desenvolvimento psicológico.

PROJEÇÃO – Processo pelo qual determinada qualidade ou característica do próprio indivíduo é percebida, e combatida, em algum objeto ou pessoa exterior. A projeção da *anima* ou do *animus* sobre um homem ou mulher reais é vivenciada como paixão. A frustração de expectativas indica a necessidade de suprimir-se as projeções, favorecendo uma relação com a dimensão real do outro.

PUER AETERNUS – ("a eterna criança" em latim) – Indica certo tipo de homem que permanece por um tempo demasiado extenso na psicologia adolescente, o que geralmente está associado a um poderoso vínculo inconsciente com a mãe (real ou simbólica). Seus traços positivos são a espontaneidade e a abertura para mudanças. Sua contraparte feminina é a *puella*, uma "eterna menina", com um vínculo correspondente ao pai-mundo.

SELF – Arquétipo da totalidade e centro regulador da personalidade. É experimentado como um poder transpessoal que transcende o ego; por exemplo, Deus.

SENEX – ("ancião" em latim) – Associado a atitudes surgidas na idade avançada. Em seu lado negativo, pode significar cinismo, rigidez e conservadorismo extremo; seus traços positivos são a responsabilidade, o sentido de ordem e a autodisciplina. Uma personalidade bem equilibrada deverá atuar de maneira adequada em meio à polaridade *puer-senex*.

SENTIMENTO – Uma das quatro funções psíquicas. Trata-se de uma função racional que avalia relacionamentos e situações. O sentimento deve ser distinguido da emoção, que tem sua origem na ativação de um complexo.

SÍMBOLO – A melhor expressão possível de algo que é essencialmente desconhecido. O pensamento simbólico e não linear, orientado pelo cérebro direito; é complementar ao pensamento lógico linear do hemisfério cerebral esquerdo.

SOMBRA – Parte inconsciente da personalidade, caracterizada por traços e atitudes, negativos ou positivos, que o ego consciente tende a rejeitar ou ignorar. É personificada, nos sonhos, por figuras do mesmo sexo que o indivíduo. A assimilação consciente da sombra pessoal normalmente resulta num acréscimo energético.

TRANSFERÊNCIA E CONTRATRANSFERÊNCIA – Casos particulares de projeção, normalmente adotados para descrever os vínculos inconscientes e emocionais surgidos entre duas pessoas no relacionamento analítico ou terapêutico.

UROBOROS – Mítica serpente, ou dragão, que come a própria cauda. É um símbolo, ao mesmo tempo, da individuação enquanto processo circular, autocontido, e da auto-observação narcisista.

BIBLIOGRAFIA SELECIONADA

DeVerteuil, R. "The Scapegoat Archetype." *Journal of Religion and Health*, vol. 5, nº 3 (1966).

Douglas, Mary. *Purity and Danger: An Analysis of Concepts of Pollution and Taboo*. Londres, Routledge & Kegan Paul, 1966.

Edinger, Edward F. *Anatomy of the Psyche*. La Salle, IL, Open Court, 1985 [*Anatomia da Psique*. São Paulo, Cultrix, 1990].

________. *The Creation of Consciousness; Jung's Myth for Modern Man*. Toronto, Inner City Books, 1984 [*A Criação da Consciência: O Mito de Jung para o Homem Moderno*. São Paulo, Cultrix, 1987 (fora de catálogo)].

________. *Ego and Archetype: Individuation and the Religious Function of the Psyche*. Nova York, G. P. Putnam's Sons, 1972 [*Ego e Arquétipo*. 2. ed. São Paulo, Cultrix, 2020].

_______. "The Tragic Hero: An Image of Individuation." *Parabola*, vol. 1, nº 1 (1976).

Fordham, Michael. *Jungian Psychotherapy: A Study in Analytical Psychology*. Nova York, John Wiley & Sons, 1978.

Frazer, James George. *The New Golden Bough*, Org. Theodor H. Gaster. Nova York, Anchor Books, 1961.

_______. *The Scapegoat*; vol. 9 do *The Golden Bough: A Study in Magic and Religion*. Londres, Macmillan & Co., 1920.

Gaster, Theodor H. *Festivals of the Jewish New Year*. Nova York, William Sloane, 1952.

_______. *Myth, Legend and Custom in the Old Testament*. Nova York, Harper & Row, 1969.

Ginzberg, Louis. *The Legends of the Jews*. Filadélfia, Jewish Publication Society of America, 1909.

Guntrip, Harry. *Schizoid Phenomena, Object Relations and the Self*. Nova York, International Universities Press, 1969.

Harrison, Jane. *Prolegomena to the Study of Greek Religion*. Cambridge, Cambridge University Press, 1922.

The Jerusalem Bible. Garden City, NY, Doubleday & Co., 1966.

Jung, C. G. *The Collected Works* (Bollingen Series XX). 20 vols. Trad. R. F. C. Hull. Org. H. Read, M. Fordham, G. Adler, Wm. McGuire. Princeton, Princeton University Press, 1953-1979.

________. *The Visions Seminars* (1930-1934). Zurique, Spring Publications, 1976.

Kahn, M. Masud R. *The Privacy of the Self: Papers on Psychoanalytic Theory and Technique.* Nova York, International Universities Press, 1974.

________. *Hidden Selves: Between Theory and Practice in Psychoanalysis.* Nova York, International Universities Press, 1983.

Kernberg, Otto. *Borderline Conditions and Pathological Narcissism.* Nova York, Jason Aronson, 1975.

Kluger, Rivkah. *Satan in the Old Testament.* Evanston, IL, Northwestern University Press, 1967.

Kohut, Heinz. *The Restoration of the Self.* Nova York, International Universities Press, 1977.

Langdon, Stephen H. *Mythology of All Races*, vol. 5: *Semitic.* Boston, Archaeological Institute of America, 1931.

Maccoby, Hyam. *The Sacred Executioner: Human Sacrifice and the Legend of Guilt.* Londres, Thames & Hudson, 1982.

Meltzer, Donald. *The Clinical Significance of the Work of Bion.* Perthshire, Clunie Press, 1978.

Miller, Jean Baker. *Toward a New Psychology of Women.* Boston, Beacon Press, 1976.

Murray, Margaret. *The God of the Witches.* Londres, Oxford University Press, 1931.

Neumann, Eric. *The Child*. Nova York, G. P. Putnam's Sons, 1973. [*A Criança*. São Paulo, Cultrix, 1991 (fora de catálogo)].

_______. *Depth Psychology and a New Ethic*. Nova York, G. P. Putnam's Sons, 1969.

Ogden, Thomas H. *Projective Identification and Psychotherapeutic Technique*. Nova York, Jason Aronson, 1982.

Perera, Sylvia Brinton. "Ceremonies of the Emerging Ego in Psychotherapy." *Chiron: A Review of Jungian Analysis*, 1986.

_______. *Descent to the Goddess: A Way of Initiation for Women*. Toronto, Inner City Books, 1981.

Perry, John Weir. *Roots of Renewal in Myth and Madness*. São Francisco, Jossey-Boss, 1976.

Roscher, W. H. e Hillman, James. *Pan and the Nightmare: Two Essays*. Nova York, Spring Publications, 1972.

Scholem, Gershom. *Major Trends in Jewish Mysticism*. Nova York, Schocken Books, 1941.

Schwartz-Salant, Nathan. *Narcissism and Character Transformation: The Psychology of Narcissistic Character Disorders*. Toronto, Inner City Books, 1982 [*Narcisismo e Transformação do Caráter*. 2. ed. São Paulo, Cultrix, 2022].

Searles, H. F. *Countertransference*. Nova York, University Press, 1979.

Shah, Idris. *Tales of the Dervishes.* Nova York, Dutton, 1969.

Soustelle, Jacques. *Daily Life of the Aztecs.* Londres, 1961.

Ujhely, Gertrude. "Thoughts Concerning the *Causa Finalis* of the Cognitive Mode Inherent in Pre-Oedipal Psychopathology." Diploma Thesis, C. G. Jung Institute of New York, 1980.

Vickery, John B. e Sellery, J'nan M., orgs. *The Scapegoat: Ritual and Literature.* Boston, Houghton Mifflin, 1972.

Von Franz, Marie-Louise. *Shadow and Evil in Fairy Tales.* Zurique, Spring Publications, 1974.

Weston, Jessie. *From Ritual to Romance.* Nova York, Doubleday Anchor Books, 1957.

Whitlock, Ralph. *In Search of Lost Gods: A Guide to British Folklore.* Oxford, Phaidon Press, 1979.

Whitmont, Edward C. "Individual Transformation and Personal Responsibility." *Quadrant*, vol. 18, nº 2 (1985).

________. "The Magic Dimension of the Unconscious", em *Dynamic Aspects of the Psyche.* Nova York, Analytical Psychology Club of New York, sem data.

________. *Return of the Goddess.* Nova York, Crossroad, 1982.

Winnicott, D. W. *The Maturational Processes and the Facilitating Environment.* Nova York, International Universities Press, 1965.

________. *Playing and Reality*. Nova York, Basic Books, 1971.

Woodman, Marion. *Addiction to Perfection: The Still Unravished Bride*. Toronto, Inner City Books, 1982.

________. *The Pregnant Virgin: A Process of Psychological Transformation*. Toronto, Inner City Books, 1985.

Impresso por :

Graphium
gráfica e editora

Tel.:11 2769-9056